O HENDREFIGILLT I LIVORNO

O HENDREFIGILLT I LIVORNO

Penodau yn Hanes Llewelyn Lloyd
a Llwydiaid Toscana

T. GWYNFOR GRIFFITH

Argraffiad cyntaf—2000

ISBN 1 85902 819 5

Dymuna'r cyhoeddwyr gydnabod cymorth Adrannau Cyngor Llyfrau Cymru.

Argraffwyd yng Nghymru gan
Wasg Gomer, Llandysul, Ceredigion

I

PAOLA

CYNNWYS

RHAGAIR

Amcanion eithaf syml sydd i'r gyfrol fach hon: tynnu sylw at fodolaeth Llewelyn Lloyd, ac adrodd rhywfaint o hanes ei deulu, sef Llwydiaid Hendrefigillt. Pan ddeuthum ar draws paentiadau Llewelyn, ni allwn ddeall sut na chlywswn amdano ynghynt. Arlunydd o fri na wyddai ei gyd-Gymry ddim amdano? Ymddangosai'n annhebygol. Nid yw ein harlunwyr yn gorff lluosog. Ni allwn fforddio colli yr un artist diddorol a thoreithiog, heb sôn am un a enillodd le iddo'i hun yn y *Pitti* a'r *Uffizi* yn Firenze a'r *Galleria Nazionale d'Arte Moderna* yn Rhufain. Y mae traddodiad oesol o werthfawrogi celf yn yr Eidal; gellid dadlau nad oes yn y byd gasgliadau mwy dethol na'r rhai a geir yn yr orielau hyn.

Pan oeddwn wedi dod i wybod rhyw dipyn bach am hanes y Llwydiaid, ymddangosai'r sefyllfa ychydig yn fwy dealladwy, ond nid yn llai gresynus. Teimlwn o hyd nad oedd ein hanwybodaeth yn dderbyniol, ac y dylai fod yng Nghymru orielau lle y gallem i gyd fwynhau darluniau gan Llewelyn Lloyd. Sut y gallwn ddarbwyllo digon o Gymry diwylliedig i fynnu hyn? Euthum ati i astudio ymhellach. Ar ôl cyfnod hyfryd o ymchwil, pan ddeuai ffeithiau newydd i'r wyneb yn rhyfeddol o hawdd (yn rhannol oherwydd parodrwydd y Llwydiaid i hyrwyddo'r gwaith, yn rhannol am nad oedd yr ysgolheigion a oedd eisoes wedi cyhoeddi gweithiau ar Lwydiaid Livorno erioed wedi bod yn Archifdy Sir y Fflint), bu arferion oes a dreuliwyd yn y byd academaidd bron â mynd yn drech na'm bwriadau gwreiddiol. Y demtasiwn bellach oedd anfon y deunydd newydd i gylchgronau ar gyfer arbenigwyr, neu gasglu'r cyfan yn un o'r cyfrolau trwchus hynny lle mae'r troednodiadau'n mynnu mwy o ofod na'r testun, y math o gyfrol sy'n werthfawr i ysgolheigion sy'n gyfarwydd â thwrio ond na chaiff ei darllen ond gan nifer bychan o ymchwilwyr penderfynol. Ond yna cofiais fy mod wedi gobeithio gwneud rhywbeth gwahanol; ceisiais felly ddewis rhan fach iawn o ffrwyth y chwilio a'i defnyddio i lunio hanes a fyddai'n debygol o fod o ddiddordeb i rywrai heblaw myfyrwyr mewn maes cyfyngedig. Na ddigied yr academwyr wrthyf; bydd yr erthyglau ar faterion technegol yn dilyn, a digon o droednodiadau ynddynt i gyfiawnhau'r gosodiadau, yn ogystal ag i ddilyn ambell ysgyfarnog!

Ond os ceisiais osgoi llu o droednodiadau yma, mae eto yn ddyletswydd arnaf nodi fy mhrif ddyledion. Mae'r gweithiau cyhoeddedig y pwysais drymaf arnynt wedi eu rhestru yn y llyfryddiaeth fer ar ddiwedd y gyfrol. Ond cefais lawer iawn o help hefyd gan bersonau.

Ar ôl cyfnod o betruso, cyfnod pan amheuwn a oeddwn wedi dewis ffurf gymeradwy i'r stori yr oeddwn am ei hadrodd, anfonais y penodau agoriadol at Aled Rhys Wiliam a gofyn am ei ymateb. Rhyddhad oedd gweld y pecyn yn cyrraedd yn ôl ac arno'r geiriau: *Nihil obstat. Imprimatur.* Bu ei hiwmor a'i ddiddordeb yn hynt y gwaith yn galondid dros weddill y daith.

Yn hanes Llwydiaid Hendrefigillt yn yr Eidal, bu dwy ddinas yn bwysig: Livorno a Firenze.

Yn Firenze, cefais i a Paola fy ngwraig groeso cynnes yng nghartref mab Llewelyn Lloyd, sef y pensaer adnabyddus Roberto Lloyd, a'i briod, Luisa Motti. Gwahoddodd Dr Lloyd ni i weld ei gasgliad preifat ef o weithiau gan ei dad, ac fe roes gopi imi o nodiadau anghyhoeddedig ar hanes y teulu a adawyd gan ei ddiweddar frawd William, mab hynaf Llewelyn, y mab a fu gydag ef yn chwilio eu hachau yn Sir y Fflint yn 1938. Yn ogystal, sicrhaodd imi gopi o lyfr anghyhoeddedig William ar ei brofiadau erchyll fel carcharor yn nwylo'r Japaneaid yn ystod yr Ail Ryfel Byd. Ond y fraint fwyaf oedd cael clywed o wefusau Roberto a Luisa eu hunain am eu bywyd anturus yn ystod y rhyfel, pan fuont am gyfnod yn gydgarcharorion gyda Llewelyn yng ngwersyll-garchar Fossoli ac wedi hynny yn ffoaduriaid yn y mynyddoedd.

Yn Livorno, bûm yn ddigon ffodus i allu sgwrsio gyda Signora Margaret Lloyd Cricchio am ei hanes hi a hanes ei brawd, Edward Lloyd. Gan ei mab hi, y diweddar Dr Guido Cricchio, cefais dipyn o help i ddeall gyrfa ei dad-cu, Robert Lloyd Hendrefigillt, a chaniatâd i gyhoeddi'r llythyr yn Gymraeg a anfonwyd gan William Lloyd Hendrefigillt o Livorno at ei frawd Robert yn Genova yn 1865. I weddw Guido, Signora Barbara Nigro Cricchio, yr wyf fi a'm gwraig yn ddiolchgar am ei chroeso ac am ei pharodrwydd i gopïo dogfennau inni ac am y llun o Robert Lloyd.

Am y cymorth parod a gefais yn Helygain gan yr achydd profiadol

Bryn Ellis caf sôn yn y llyfr ei hun, gan fod ei gyfraniad yn rhan o'r stori o sut y llwyddwyd i ddilyn y trywydd yn ôl o'r Eidal i'r fan yng Nghymru lle safai fferm y Llwydiaid gynt. Trwy ei garedigrwydd ef, gellais fanteisio ar ei wybodaeth cyn iddo gyhoeddi yn 1999 ei gyfrol ar hanes y cymunedau o amgylch Mynydd Helygain, cyfrol sydd yn amlwg yn fy llyfryddiaeth. I'w gyfnither, Mrs Myfanwy Davies, Pantasaph, yr wyf yn ddiolchgar am ganiatâd i gyhoeddi llun o'r paentiad o Hendrefigillt.

Roedd cefndir teuluol Llewelyn Lloyd yn destun anodd i ysgolheigion yn yr Eidal, a bu cymysgu rhwng aelodau o deulu William Lloyd Hendrefigillt ac aelodau o deulu Thomas Lloyd, Cymro arall a fu'n bwysig yn hanes economaidd porthladd Livorno. Fel y caf ddangos yn y gyfrol hon, aelod oedd ef o deulu Plas Hafod, Gwernymynydd. Ganed mab iddo yn Livorno, Thomas Lloyd arall. Dilynais ei drywydd ef i'r Alban. Yr wyf yn ddiolchgar i Mr Reinold Gayre, Castell Minard, pennaeth Clan Gayre, am ei barodrwydd i ddangos ei gartref imi, ac am rannu ei wybodaeth o hanes y castell pan oedd yn un o gartrefi Thomas Lloyd y mab, ac am luniau o'r castell. Ond fy mhrif ffynhonnell wrth ddilyn hynt y Llwydiaid hyn oedd yr awdures Marion Campbell of Kilberry, wyres i Margaret Lloyd (merch i Thomas Lloyd y tad a gwraig John Campbell, Castell Kilberry). Anfonodd ataf wybodaeth am y teulu ac achresi Llwydiaid Hafod. Gan mai Llwydiaid Hendrefigillt oedd fy mhrif ddiddordeb yn y llyfr hwn, ni ddefnyddiais ond rhan fach iawn o un o'r achresi hynny, sef y rhan a oedd yn berthnasol i hanes y Thomas Lloyd hwnnw a roes swydd yn Livorno i William Lloyd Hendrefigillt (er bod teulu Hafod a Chefn Mawr yn haeddu llyfr iddo'i hun!). Deallaf taw'r diweddar Arthur Lloyd Pantybuarth a baratoes y rhan fwyaf o'r achresi a anfonwyd ataf. Gair o rybudd yma. Ni ellais gadarnhau popeth yn y rhan fach o achresi Llwydiaid Hafod a gopïais ar gyfer y llyfr hwn. Pwysleisiaf nad wyf yn dweud bod Mr Lloyd wedi cyfeiliorni yma; yr oedd ef ei hun yn arddel perthynas â'r Llwydiaid hyn, ac y mae'n eithaf posib bod ganddo ddogfennau teuluol o'i flaen na wyddom ddim amdanynt. Dweud yr wyf fy mod i'n llai sicr o'r achau hyn nag o achau prif gymeriadau ein stori, Llwydiaid Hendrefigillt.

Pan oeddwn yn tybio fy mod wedi cael rhyw fath o drefn ar achau Hendrefigillt a Hafod, anfonais fy nalennau aflêr at Mansel Lloyd, Llanilltyd Fawr, cyfaill sy'n hyddysg iawn yn achau Cilcain a'r cylch, ardal ei hynafiaid. Ni ddarganfuwyd unrhyw gysylltiad rhwng ei dylwyth ef a'm Llwydiaid i, ond fe ddefnyddiodd Mansel feddalwedd priodol i roi gwisg fwy parchus i bawb yn fy rhestrau. Mae'n amheus a fyddwn wedi mentro cyhoeddi achresi o gwbl oni bai ei fod ef wedi eu dychwelyd ar eu newydd wedd.

I berchenogion Gwesty Plas Hafod, Gwernymynydd yr wyf yn ddyledus am y llun o hen gartref Llwydiaid Hafod fel y mae heddiw ac am ganiatâd i'w gyhoeddi. Ac yr wyf yn ddiolchgar i Ficer Gwernaffield am ei garedigrwydd yn trefnu imi gael mynediad i'r eglwys yno i dynnu llun o gofadail Thomas Lloyd Hafod.

Ynglŷn â chyhoeddi copïau o baentiadau gan Llewelyn Lloyd, bu gennym ddwy brif broblem: cael caniatâd gan y perchenogion a sicrhau atgynyrchiadau teilwng. Cyhoeddwyd eisoes gyfrol sylweddol ar baentiadau Lloyd gan Ferdinando Donzelli, *Llewelyn Lloyd 1879-1949*, a rhan helaeth o'r gyfrol honno yn atgynyrchiadau. Drwy gydweithrediad parod yr awdur, fe'n galluogwyd i ddefnyddio nifer o'r atgynyrchiadau hynny, ac fe aeth Ferdinando Donzelli yn gyfrifol am sicrhau caniatâd y perchenogion ar ein rhan. Yn yr un modd, cawsom hawl i ddefnyddio copïau o baentiadau gan Lloyd a ymddangosodd yn llyfr A. Parronchi, *Coloristi Toscani fra Ottocento e Novecento*. Ynddo ceir casgliad o ddarluniau gan Lloyd ac wyth artist arall sy'n ffurfio rhagarweiniad hyfryd i'w waith ef a'i gyfoeswyr yn Nhoscana. Drwy garedigwydd Dr Parronchi cawsom ganiatâd hefyd i gynnwys dau ddarlun gan Lloyd na chyhoeddwyd eisoes atgynyrchiadau ohonynt, sef *Yr Ych* a *Traeth yn agos i Pisa*, y ffotograffiaeth gan Galleria Parronchi, Firenze. O'r darlun 'Y gastanwydden farw' defnyddiwyd atgynhyrchiad a ymddangosodd yn y gyfrol *I Postmacchiaioli* a gyhoeddwyd gan De Luca, Rhufain. Diolchaf i Dr Luigi De Luca am ei gymwynas yn caniatáu hyn, ac i'r *Galleria Nazionale d'Arte Moderna,* Rhufain, am ganiatâd i gyhoeddi.

Diolchir i Garzanti, Milano, cyhoeddwyr y gyfrol *Il franco cacciatore* gan Giorgio Caproni, am ganiatâd i gyhoeddi trosiad o'r gerdd *Biglietto lasciato prima di non andar via*; i Paolo Belforte, Livorno, am ganiatâd i ddefnyddio golygfeydd o'r ddinas a gyhoeddwyd gan ei gwmni ef; ac i Dr Lucia Borghesan, golygydd *CN Rivista del Comune di Livorno* am ganiatâd i gyhoeddi deunydd a oedd eisoes wedi ymddangos yn y cylchgrawn hwnnw ac yn y gyfrol *Cronaca e immagini di una città* (1900-1936).

I Archifdy Sir y Fflint diolchir am gymorth parod yr archifwyr, ac am ganiatâd i gyhoeddi llun o'r darlun dyfrlliw o hen eglwys Helygain gan Moses Griffith ac o'r poster yn hysbysebu'r arwerthiant yn Llundain yn 1874 pryd y gwerthwyd Hendrefigillt.

Yn olaf, pleser yw datgan fy niolch i'r cyfeillion yng Ngwasg Gomer am eu gwaith, ac yn arbennig i Bethan Mair Matthews am ei hawgrymiadau gwerthfawr a'i chefnogaeth.

T. G. G.

OND PWY *OEDD* LLEWELYN LLOYD?

Yn 1982 bûm mewn arddangosfa hynod o apelgar a chofiadwy ym Manceinion. Ynddi, denwyd fy sylw yn arbennig gan nifer o baentiadau lliwgar ac ymddangosiadol syml yn portreadu gwŷr a gwragedd wrth eu gwaith, ar eu ffermydd ac yn eu cartrefi, yn un o ranbarthau'r Eidal, sef Toscana, yn ystod ail hanner y bedwaredd ganrif ar bymtheg. Yn ogystal, yr oedd yno amryw dirluniau hyfryd o'r un dalaith.

Arddangosfa ydoedd o baentiadau gan y *macchiaioli*, carfan o arlunwyr a fu'n lled boblogaidd yn eu gwlad eu hunain ryw ganrif yn ôl. Ystyr y gair *macchia* yw 'smotyn' neu 'smwdj', a rhan o dechneg rhai o'r artistiaid hyn oedd rhoi dwbiadau bach o baent ochr yn ochr ar y cynfas, a'r dwbiadau hynny weithiau mewn lliwiau gwrthgyferbyniol ac yn creu effeithiau diddorol o oleuni a chysgod.

Ni fu eu gwaith wrth fodd pawb ymhlith eu cyfoeswyr: daliai rhai o'u beirniaid eu bod, wrth ymdrechu i gyfleu argraffiadau ffres a byw, wedi bod yn ddiffygiol yn eu gofal am linell a ffurf. Mae *macchia*, wrth gwrs, yn hen air yn yr Eidaleg, datblygiad o'r Lladin *macula*. Ond un o'r beirniaid gelyniaethus hyn a fathodd yn 1862 y gair *macchiaioli* ('smwdjwyr') fel disgrifiad difrïol o'r grŵp. Serch hynny, fe enillodd gwreiddioldeb a ffresni'r ysgol newydd gydnabyddiaeth barod gan y cyhoedd, ac yn fuan yr oedd yr arlunwyr a'u dilynwyr yn arddel gyda balchder yr union enw a luniwyd er mwyn eu bychanu.

Nid eu techneg yn unig oedd yn newydd. Arferai'r garfan gyntaf o *macchiaioli* gyfarfod yn y Caffè Michelangelo yn Firenze rhwng 1855 a 1867. Yn eu barn hwy, yr oedd y math o baentio a oedd mewn bri yn yr Eidal ar y pryd yn oracademaidd, gyda gormod o ddewis testunau mytholegol neu hanesyddol o fath rhethregol neu destunau crefyddol o fath confensiynol. Yng ngeiriau un o'r galluocaf ohonynt, Giovanni Fattori, eu huchelgais oedd cyfleu *un'impressione del vero*, 'argraff o'r gwirionedd', ac fe aethant ati i baentio bywyd a gwaith bob dydd y bobl yr oeddent yn byw yn eu mysg. Yn wleidyddol, yr oeddent yn ddemocrataidd eu tueddiadau ac o blaid y *Risorgimento*, y mudiad cenedlaethol a arweiniodd at uno taleithiau'r Eidal yn un wlad yn y cyfnod 1861-71. Bu ambell un ohonynt ar faes y gad yn y brwydrau a ymladdwyd i lacio gafael Awstria a'r Babaeth ar rai o diroedd yr Eidal yn 1848 a 1859, ac fe enillodd Fattori gryn enw iddo'i hun drwy roi ar gynfas ei argraffiadau o rai o frwydrau ffyrnicaf y cyfnod. Rhaid i mi ddweud mai gwell o lawer gennyf i yn bersonol yw ei ddarluniau o fywyd gwledig neu ei bortread hyfryd o'i lysferch. Sut bynnag am hynny, yr oedd yn arlunydd amryddawn yn ogystal â bod yn ddylanwad pwysig ar genhedlaeth o artistiaid.

Ceid cryn amrywiaeth ymhlith y *macchiaioli*. Yn un peth, bu nifer ohonynt wrthi'n paentio ac yn datblygu eu doniau a'u syniadau am ddegawdau. Ac erbyn diwedd y ganrif gellid gweld bod y gwahaniaethau yn y garfan wreiddiol wedi esgor ar dueddiadau hyd yn oed mwy dieithr i'w gilydd ymhlith eu dilynwyr. Nid yw'n syndod, felly, fod gwahanol feirniaid wedi tynnu sylw at elfennau pur wahanol yn eu gwaith. Yr agwedd argraffiadol a ymddangosai'n bwysig i Lionello Venturi, ac y mae ef yn sôn am *y macchiaioli* fel rhagflaenwyr i'r argraffiadwyr ac yn eu bedyddio yn *protoimpressionisti*. Ond y gogwydd realistig a drawodd eraill yn bennaf; teitl catalog yr arddangosfa a gynhaliwyd ym Manceinion a Chaeredin yn 1982 oedd *The Macchiaioli: Masters of Realism in Tuscany*. Nid o gyfeiriad y *macchiaioli* yn unig y deuai dylanwadau realistig i'r brig yn y celfyddydau yn y cyfnod ar ôl 1865, ac un o'r datblygiadau pellach yn y cyfeiriad hwnnw fu'r portreadu cignoeth o agweddau anhyfryd ar fywyd a geid yn *verismo*. Ar yr un pryd, bu rhai artistiaid yn datblygu'r ochr argraffiadol o weithgaredd eu rhagflaenwyr ac yn troi at y math o sgetsio ysgafn a chyflym a elwir yn *bozzettismo*. Bydd rhai o'm darllenwyr llengar yn cofio am bwysigrwydd *verismo* ymhlith rhai o nofelwyr y cyfnod, megis Verga, a bydd eraill na wyddant ddim am ei waith ef fel nofelydd eto yn cofio ei fod wedi troi stori fer a ysgrifennodd yn ddrama, *Cavalleria rusticana,* a bod eraill wedi addasu honno i fod yn opera, gyda cherddoriaeth gan Mascagni.

Yr oeddwn i wedi mwynhau f'ymweliad â'r *macchiaioli* yn fawr iawn: wedi ymserchu yng ngweithiau Telemaco Signorini ac wedi edmygu rhai o luniau Fattori. Am flynyddoedd wedi'r arddangosfa, byddwn yn darllen unrhyw erthygl arnynt y digwyddai imi ddod ar ei thraws mewn cyfnodolion. Felly, pan welais fod arddangosfa o weithiau eu holynwyr i'w chynnal ym mis Rhagfyr 1993 a mis Ionawr 1994, yn y Palazzo Ruspoli yn Rhufain, dan y teitl *I postmacchiaioli*, penderfynais fynd yno. Ond y tro hwn nid y pleser o weld paentiadau gwych oedd yr unig gymhelliad. Yr oeddwn hefyd yn awyddus iawn i weld a fyddai'r arddangosfa yn cynnwys gweithiau gan arlunydd yr oeddwn erbyn hynny wedi dod ar draws ei enw droeon, ond heb gael cyfle i astudio'i waith. Ac yr oeddwn yn gobeithio y deuwn i wybod sut y cafodd artist y soniwyd amdano fel un o feibion Toscana enw a awgrymai nad oedd ei deulu'n gwbl Doscanaidd. Pan gyrhaeddais Palazzo Ruspoli, cefais fod gan yr arlunydd hwnnw le amlwg iawn yn yr arddangosfa: nid yn unig yr oedd ystafell fawr wedi ei chysegru bron yn gyfan gwbl i arddangos gweithiau ganddo, ond yr oedd yno hefyd bortread gwych ohono yn ddyn ifanc gan ei gyfaill Oscar Ghiglia. Cyfeirio yr wyf at Llewelyn Lloyd.

Er mai ychydig iawn a wyddwn am Llewelyn Lloyd ar y pryd, yr oeddwn o leiaf yn teimlo'n sicr fy mod ar dir i gywiro brawddeg gyntaf erthygl ar ei baentiadau a ddarllenaswn yn ddiweddar, erthygl gan feirniad adnabyddus iawn yn ei ddydd, sef Ugo Ojetti. Ar ôl enwi'r arlunydd, mae Ojetti yn ein sicrhau taw gŵr o Toscana, neu'n hytrach o Livorno, a guddir 'dan yr enw tra Seisnig hwn' (*sotto questo inglesissimo nome)*. Y tro cyntaf imi ddarllen y frawddeg hon ar Seisnigrwydd tybiedig yr enw Llewelyn Lloyd, fe'm temtiwyd i ddyfynnu cwpled enwog am Lewelyn arall gan Lwyd arall, sef Gerallt Lloyd Owen. Ond erbyn meddwl, tybiais y byddai gan ein llyw olaf bertach gwaith na phoeni am anwybodaeth Ugo Ojetti. Eto i gyd, fe godai'r frawddeg gwestiynau diddorol yn fy meddwl. A fuasai Llewelyn Lloyd ei hun mewn sefyllfa i gywiro gosodiad Ojetti? Pa mor Gymreig, tybed, oedd ei deulu? Ai Cymro Cymraeg oedd ei dad? A oedd erioed wedi bod yng Nghymru? Yr oedd yn hen bryd imi ddysgu mwy amdano.

DILYN TRYWYDD

Yn yr ystafell yn Rhufain lle y dangosid y darluniau gan Llewelyn Lloyd, cynigid briwsionyn o wybodaeth amdano ar gerdyn ar y pared, sef ei fod wedi ei eni yn Livorno yn 1879, 'yn fab i ddyn busnes o Gymru', a'i fod wedi marw yn Firenze yn 1949. Dim llawer, ond ymddangosai yn agoriad mwy addawol na brawddeg gyntaf Ugo Ojetti. Tybed ai'r un person a baratoes y cerdyn hwn a'r catalog i'r arddangosfa, neu o leiaf y nodiadau ar Llewelyn yn y catalog? Os felly, efallai y cawn wybod rhagor yno am y dyn busnes o Gymru y soniwyd amdano ar y cerdyn. Euthum adre i bori yn y copi yr oeddwn wedi ei brynu.

Prif gynnwys y catalog oedd cyfres o atgynyrchiadau da o rai o'r gweithiau a welswn yn yr arddangosfa. Yr oedd ynddo hefyd draethodau a ffurfiai ragarweiniad i waith y *postmacchiaioli* ac yna, yng nghefn y gyfrol, ysgrif fer ar bob un o'r arlunwyr. Yr oedd rhai o'r ysgrifau hyn o safon uchel fel cyflwyniadau beirniadol i waith yr artistiaid. Ond nid materion bywgraffyddol oedd prif ddiddordeb yr ysgolheigion a'u cyfansoddodd, ac yr oedd hyn yn arbennig o wir am y ferch a ysgrifennodd y llith ar Lloyd. Yr oedd awdur y darn ar Giorgio Kierek o leiaf wedi dechrau drwy sylwi ei fod yn perthyn i deulu Swissaidd-Ffrengig ac yn agored felly i ddylanwadau o'r tu allan i ffiniau'r Eidal, ac yr oedd awdur y llith ar Oscar Ghiglia wedi nodi ei fod ef yn perthyn i deulu Iddewig yn Livorno. Doedd dim o'r fath beth yn y paragraffau ar weithiau Llewelyn Lloyd: dim sôn am deulu nac am dad. Honna'r awdures ddysgedig yn ei brawddegau agoriadol fod gyrfa artistig Llewelyn Lloyd yn gynrychioliadol o genhedlaeth gyfan o arlunwyr a aned yn yr un degawd yn Livorno, ac i ffwrdd â hi wedyn i sôn am yr ysgol i arlunwyr a gynhelid yno gan Micheli, un o ddisgyblion Fattori. Eto i gyd, mae'r ysgrif fer hon yn gyflwyniad da i yrfa broffesiynol Lloyd. Cawn wybod am ei brentisiaeth gyda Micheli yn Livorno, sut y daeth i adnabod Fattori, a sut yr ymsefydlodd wedyn yn Firenze (tua 1900), eithr heb golli ei gysylltiad â Livorno. A chyfeirir yn fyr at y prif ddatblygiadau yn ei baentio. Ond a oedd unrhyw beth ynddi a roddai obaith am ddilyn y trywydd teuluol?

Yr oedd llygedyn o obaith. Cyfeirid at ddau lyfr a ysgrifennwyd gan Llewelyn Lloyd ei hun. Braslun o hanes paentio yn yr Eidal yn y bedwaredd ganrif ar bymtheg oedd un o'r ddau, *La pittura dell'Ottocento in Italia.* O'm safbwynt i, ymddangosai'r llall yn fwy addawol. Disgrifid ef fel casgliad o atgofion a ysgrifennwyd gan Lloyd tua diwedd ei oes ac a olygwyd ar ôl ei farw gan gyfaill iddo, Roberto Papini; mewn un man soniodd awdures yr ysgrif amdano fel 'hunangofiant'.

Cyhoeddasid *Tempi andati* ('Amserau diflanedig') yn Firenze yn 1951, ddwy flynedd ar ôl marwolaeth yr awdur. Ni lwyddais hyd heddiw i brynu copi. Fe'i darllenais felly yn y Llyfrgell Genedlaethol yn Rhufain. Gwelais ar unwaith nad hunangofiant confensiynol mohono, ond fersiwn Lloyd ei hunan o'i hanes fel arlunydd. Prin yw'r cyfeiriadau at ei fywyd personol, heblaw am yr hyn a ddywed am ei ddiddordebau yn ystod ei fachgendod, lle y mae'n ceisio dangos bod Natur a'r pleser o dynnu lluniau o'r hyn a welai ym myd Natur wedi mynd â'i fryd o'i blentyndod cynnar; teimlir yma ei fod yn awyddus i gyfiawnhau'r ffaith na fynnai ymddiddori mewn mathau eraill o addysg na derbyn unrhyw yrfa ond gyrfa artist, ymarweddiad a fu'n destun gofid i'w deulu. Llyfr arall ar baentio yw hwn yn bennaf, felly: ceir ynddo bennod ar Livorno fel magwrfa i arlunwyr a thair pennod ar waith ei gyfaill Mario Puccini. Yn wir, y mae llawer yma sy'n ein harwain yn ôl at gyfrol flaenorol yr awdur, *La pittura dell'Ottocento in Italia.* Cawn fwy o fanylion am fywyd personol Lloyd yn sylwadau'r golygydd nag yn atgofion yr awdur. Byddaf yn dod yn ôl at rai o'r ffeithiau hynny yn nes ymlaen. Ond am y tro rhaid nodi na chefais yma ddim gwybodaeth am ei dad, fel yr oeddwn wedi gobeithio. Eto i gyd, bu'r llyfr hwn hefyd yn help i ddilyn y trywydd.

Trwy gydol ei oes gynhyrchiol bu Llewelyn Lloyd yn hynod o drefnus ynglŷn â'i waith. Cadwai ddyddiadur a oedd yn bennaf yn gronicl o'r paentiadau a weithiai arnynt, ac ar ddiwedd ei oes paratoes, ar gyfer y llyfr hwn, restr ddefnyddiol o'i brif baentiadau. Sylwais fod nifer o'r rheini ym meddiant Roberto Lloyd, Firenze. Tybiwn taw mab i'r arlunydd oedd hwn. Ond, os felly, a oedd yn fyw o hyd? Erbyn hyn yr oedd pum mlynedd a deugain wedi mynd heibio er pan gyfansoddasai Llewelyn y rhestr, rywbryd cyn ei farw yn 1949.

Euthum ati i astudio llyfr teleffon Firenze. Ac yr *oedd* yno Roberto Lloyd. Yn wir, yr oedd yno ddwywaith, unwaith gyda'i gyfeiriad preifat ac unwaith gyda'i gyfeiriad swyddfa, ac yn ôl yr arfer yn yr Eidal gyda'i deitl proffesiynol: Arch. Roberto Lloyd. Ymddangosai imi yn eithaf tebygol y byddai mab i arlunydd yn bensaer (*architetto*), ond ai mab Llewelyn oedd hwn? Mentrais ysgrifennu ato.

Aeth misoedd lawer heibio heb ateb. Ofnais fy mod, wrth holi, wedi dweud rhywbeth i gythruddo'r pensaer neu, efallai, wedi ysgrifennu at ryw Lloyd nad oedd ganddo unrhyw gysylltiad â Llewelyn! Yn y cyfamser yr oeddwn wedi bod yn astudio hanes Livorno, gan obeithio dod o hyd i gyfeiriad at dad yr arlunydd yn hanes masnachol y ddinas; a daethwn ar draws Llwydiaid eraill nid amherthnasol i'n stori ni, fel y caf ddangos mewn pennod ddiweddarach! Yna, fe gyrhaeddodd llythyr caredig a chwrtais oddi wrth Roberto Lloyd. Ie, ef oedd y Roberto Lloyd y cyfeirid ato yn *Tempi andati* fel perchennog rhai o'r paentiadau, ac yr oedd yn fab i'r arlunydd. Ymddiheurai am yr oedi: yr oedd wedi bod yn anhwylus ac wedi gorfod treulio wythnosau mewn ysbyty. Ond bellach fe allai wneud iawn am yr amser a gollasid drwy drefnu imi dderbyn copi o lyfr ar Llewelyn Lloyd gan Ferdinando Donzelli a oedd newydd ymddangos, llyfr a gynhwysai ysgrifau ganddo ef a'i chwaer Gwendolen. A chawn weld taw Cymry oedd ei gyndeidiau, fel y tybiaswn.

Cyrhaeddodd y llyfr. Mae'n ffrwyth ymchwil gan ŵr sy'n gyfarwydd â hanes y celfyddydau cain yn Toscana yn y bedwaredd ganrif ar bymtheg a'r ugeinfed ganrif, ac yn arbenigwr ar arlunwyr Livorno. Mae'n arbennig o werthfawr am ei fod yn cynnwys catalog cyflawn o weithiau Llewelyn Lloyd, hanes ei yrfa, detholiad o atgynyrchiadau, a chasgliad da o lythyrau a ysgrifennwyd ganddo neu ato. Difyr hefyd yw atgofion Roberto a Gwendolen am ddulliau Llewelyn o weithio a'r argraff a wnâi arnynt pan oeddynt yn blant. Llai boddhaol, fel y gellid disgwyl, yw paragraffau Donzelli ar gefndir Cymreig y teulu. Yma, er enghraifft, priodolir i'r Thomas Lloyd a aned yn Hendrefigillt yn 1841, sef brawd i dad yr arlunydd, dai a thiroedd yn Livorno a berthynai i Thomas Lloyd cyfoethocach o lawer, masnachwr a fu'n bwysig yn hanes economaidd y porthladd. Petai'r awdur wedi cael cyfle i wneud ymchwil yng Nghymru, byddai'n sicr wedi gweld bod y Thomas Lloyd a aned yn Hendrefigillt yn 1841 wedi marw yno yn 1854. I mi, rhydd Donzelli yr argraff fod Roberto Lloyd wedi cyflwyno iddo yr un wybodaeth am ei achau ag a anfonodd ataf fi yn ddiweddarach a bod Donzelli wedi gorfod ei dehongli orau y medrai heb wybod dim am y cefndir Cymreig. Dechreua'r drafodaeth drwy sylwi bod llawer o *Saeson* wedi cael Livorno yn atyniadol yn y gorffennol: bod Robert Dudley, Inigo Jones a Tobias Smollett wedi byw yno, a bod Shelley, Byron a Dickens wedi ymweld â'r lle. (Ni wn a fyddai'r Sgotyn croendenau hwnnw, Tobias Smollett, yn hollol fodlon â'r driniaeth hon; ef yw'r llenor pwysicaf o'r ynysoedd hyn a gladdwyd yn Livorno.) Cymaint yn wir oedd enwogrwydd Livorno, yn ôl Donzelli, fel yr oedd hyd yn oed wedi cyrraedd Hendrefigillt yng Nghymru. A gallwn feddwl ei fod yn tybio taw enw pentref neu dref fach oedd Hendrefigillt, achos ni ddywed wrthym ym mha le y mae dod o hyd i'r hendre hon, rhywbeth a achosodd dipyn o benbleth i mi pan ddarllenais ei waith am y tro cyntaf. Ar y llaw arall, cefais yn y llyfr hwn lawer o ffeithiau a oedd naill ai yn newydd imi neu yn cadarnhau sylwadau gwasgaredig yr oeddwn wedi eu gweld mewn mannau eraill, er enghraifft fod William Lloyd, Hendrefigillt, tad yr arlunydd, wedi priodi yn yr Eidal a chael nifer o blant, a bod yr arlunydd ei hun yn dad i dri o blant, sef William (ganed 1907), Gwendolen (g. 1911) a Roberto (g. 1916). Cefais wybod hefyd fod William Lloyd, Hendrefigillt, wedi ei eni yn 1835 a bod ei frawd Robert (g. 1848) yntau wedi ymsefydlu yn Livorno a bod disgynyddion iddo ef yno o hyd. Ond ble oedd Hendrefigillt? Ymddangosai i mi fod cliw posibl mewn gosodiad arall yn llyfr Donzelli. Collodd Llewelyn Lloyd ei dad pan oedd yn bedair blwydd oed, ac fe'i codwyd gan ei ewythr Robert, achos buasai William Lloyd *farw yn Helygain* yn 1884. Tybed ai fferm yng nghyffiniau Helygain oedd Hendrefigillt? Nid oedd gennyf unrhyw brawf o hyn: os oedd William Lloyd wedi marw ar un o'i deithiau busnes i Brydain yn 1884, nid oedd o angenrheidrwydd wedi gwneud hynny yn y man lle'i ganwyd yn 1835. Eto i gyd, rhyw awr o waith yw'r siwrne yn y car rhwng ein cartref ni a Helygain, ac yr oedd pob cam o'r daith ac eithrio'r filltir olaf yn gyfarwydd imi. Yn sicr, yr oedd yn rhaid inni fynd yno i chwilio am gofnod o ryw fath yn sôn am farwolaeth William Lloyd . . . a gallwn holi am Hendrefigillt yr un pryd.

Yr oedd yn fore braf pan adewais yr A55 a throi i fyny'r allt tua Helygain. Mewn llai na hanner milltir fe'm cefais fy hun ar gyrion y pentref, ond ni allwn fynd ymhellach: yr oedd buches ardderchog yn croesi'r heol yng ngofal dau ffermwr. Gwelais fy nghyfle; byddai amaethwyr yn sicr yn gwybod enw pob fferm yn y gymdogaeth. Neidiais o'r car a gofyn a allent fy nghyfeirio. Tipyn o siom fu gweld eu hwynebau pan enwais Hendrefigillt: dryswch. Beth oedd enw'r ffermwr yr oeddwn am siarad ag ef? Esboniais mai holi hynt teulu a fuasai yno yn y bedwaredd ganrif ar bymtheg yr oeddwn! Wedi clywed hyn, mynnodd y ddau fy mod i a'r wraig yn ymweld â'u fferm a chael gair â'u tad, ac i mewn â ni i Lygan-y-lan. Diflannodd y siom i raddau pan ddywedodd Mr Williams ei fod yn gwybod yn iawn am *Nant* Figillt. Teimlwn fod ail elfen yr enw mor anghyffredin fel yr oeddem yn sicr o fod ar y trywydd o hyd, a gallwn ddeall y dryswch yr oeddwn wedi ei achosi os oeddwn wedi gofyn am fferm nad oedd yn bod, ac eto wedi taro ar enw a oedd yr un pryd mor gyfarwydd i ffermwyr y cylch ac mor brin â *Figillt.* Nid oedd amheuaeth ym meddwl Mr Williams ynglŷn â'r cam nesaf: dylwn ymgynghori â Bryn Ellis os oeddwn am wybod rhywbeth am hanes Helygain neu am achau teuluoedd yr ardal. Ychwanegodd un o'i feibion taw ysgolfeistr wedi ymddeol oedd Mr Ellis, ac mai Bryn a Beryl Ellis oedd golygyddion *Countryside News,* chwarterolyn a gyhoeddir er 1972 ar gyfer y pentrefi o amgylch Mynydd Helygain. Erbyn hyn yr oedd y mab arall eisoes yn ceisio ffonio Mr Ellis ar fy rhan! Neb i mewn, ond rhoes y rhif ffôn imi.

Bythefnos yn ddiweddarach yr oeddem yn Helygain eto, a'r tro hwn yr oedd Bryn Ellis yn ein disgwyl. Fe ddechreuodd drwy ein gwahodd i'w dŷ i weld map neu ddau. Dangosent fod Hendrefigillt wedi bod yn enw fferm yn ogystal ag yn enw trefgordd ym mhlwyf Helygain. Yna allan â ni i astudio'r wlad o amgylch y man lle safasai'r fferm ac i astudio ei safle orau y gallem o bob cyfeiriad. Ysywaeth, yn y cyfnod rhwng y ddau ryfel byd, llyncwyd y tŷ gan chwarel enfawr. Y mae honno'n dal i dyfu, ac y mae loriau trymion yn ei gadael beunydd ar eu ffordd i borthi rhyw draffordd newydd â cherrig o grombil Mynydd Helygain. Ond os yw Hendrefigillt wedi diflannu, erys paentiad o'r tŷ, fel yr oedd yn nauddegau'r ganrif hon, ym meddiant Mrs Myfanwy Davies, Pantasaph, cyfnither i Bryn Ellis; bu ei theulu hi yn byw ynddo cyn i'r hen gwar ymledu dros eu cartref. Ar ôl imi gael cyfle i dynnu lluniau o'r tirlun ac o'r chwarel, er mwyn eu hanfon at Roberto Lloyd yn Firenze, buom yn ymweld ag ambell fferm arall y bu'r Llwydiaid yn denantiaid ynddynt. Ac yna, fel y disgwyliaswn, aethom i eglwys Helygain. Gwyddwn erbyn hyn fod sôn am fwy nag un genhedlaeth o'r Llwydiaid yn ei chofrestri, ac, er nad oedd adeilad yr eglwys ei hun yn ymddangos yn hen iawn, tybiwn y gallwn weld ambell fedd yn perthyn i'r teulu yn y fynwent a'i hamgylchynai. Nid felly y bu, ysywaeth, a chefais yr esboniad hanesyddol yn y man gan Bryn.

Paentiad o Hendrefigillt fel yr oedd yn 1921.

Dug Westminster yw un o'r prif berchenogion tir yn y cylch. Dechreuodd ei hynafiaid ef, hynny yw teulu Grosvenor, ymddiddori yn y plwm yn yr ardal yn oes Siarl I, ac yn ystod y ddeunawfed ganrif prynasant gryn lawer o dir yn y cyffiniau. Yn y bedwaredd ganrif ar bymtheg adeiladwyd tŷ enfawr ganddynt a'i alw'n 'Halkyn Castle'. Gan fod y diwydiant plwm wedi datblygu'n gyflym o'r 1720au ymlaen, daeth llawer o fewnfudwyr i'r gymdogaeth, ac yn eu plith fwynwyr profiadol o Swydd Derby ac o Gernyw: mae eu henwau – Ingleby, Redfern, Oldfield, Carrington, Stealey, Blackwell, Cheney, Hooson, Denman, Pickering, Nuttall, Tregenza – yn britho cofrestri'r eglwysi o amgylch Mynydd Helygain; fe arhosodd llawer ohonynt a throi yn Gymry Cymraeg. Os ydych yn ymddiddori yn hanes ein llên, neu wedi ymweld ag eglwys ardderchog yr Wyddgrug, fe gofiwch, efallai, mai Blackwell oedd cyfenw'r bardd Alun. Pan benderfynwyd tynnu hen eglwys Helygain i lawr ac adeiladu un helaethach yn ei lle, ni fynnai'r Dug i'r eglwys newydd gael ei chodi mor agos i'w breswylfa ag y buasai'r hen eglwys. Talodd am adeiladu'r eglwys newydd yn ei safle presennol, ac fe gostiodd hynny £23,000, swm y dylid ei gymharu â'r £1,700 a gostiodd yr eglwys a godwyd mewn pentref cyfagos, Rhosesmor, tua'r un adeg.

Y chwarel yn 1997.

Nid yn y fynwent o amgylch yr eglwys bresennol, a agorwyd yn 1878, y mae chwilio am feddau'r Llwydiaid, felly, ond yn yr hen fynwent. A chwilio yw'r gair priodol. Cuddir y beddau gan dyfiant blynyddoedd, a bu fy ngwraig yn cwyno am ddiwrnodau ar ôl ein hymweliad am ffyrnigrwydd y danadl poethion. Sut bynnag, gan fod Bryn Ellis yn gwybod ym mha ran o'r fynwent y'u claddwyd, llwyddais i dynnu lluniau o fedd Robert Lloyd (1801-1873), Hendrefigillt, a Maria, ei wraig, sef rhieni y ddau lanc a ymfudodd i Livorno, er mwyn eu hanfon, gyda lluniau o'r anialwch hyfryd o'i amgylch, at Roberto Lloyd yn Firenze. Ymhen mis neu ddau fe atebodd Roberto, gan anfon y fersiwn a oedd ganddo ef o'i achau diweddar. Erbyn hynny, yr oeddwn ar dir i gynnig ambell gywiriad iddo ac i fynd ymhellach yn ôl yn hanes y teulu. Gwerthfawr dros ben i'm hymchwil i, serch hynny, oedd y pethau diweddaraf yn ei gyfraniad, sef y ffeithiau parthed yr aelodau o'r teulu a aned yn yr Eidal a chopi o ychydig dudalennau o femorandwm anghyhoeddedig ar hanes y teulu a ysgrifennwyd gan ei frawd William (1907-1980). O'r diwedd, teimlwn rywfaint o obaith ynghylch cael rhyw lun ar eu hanes.

Nid oes dim a all ddangos fy nyled i Bryn Ellis yn well na hanes bedyddio'r ddau frawd sy'n ddolen gydiol rhwng y teulu yng Nghymru a'r teulu yn yr Eidal, sef William (g. 1835) a Robert (g. 1848). Pe na buaswn wedi cwrdd â Bryn, mi fuaswn yn sicr wedi chwilio amdanynt ymhlith plant Robert a Maria yng nghofrestri eglwys Helygain. Am wahanol resymau, nid ydynt yno. Pan briodwyd Robert a Maria, yr oedd tad Robert yn dal yn fyw, ac ef oedd tenant Hendrefigillt. Felly, fe fu Robert yn denant yn gyntaf yn Tarth-y-dŵr, Cilcain, ac yna yn Tŷ'n-twll, Cilcain. Bedyddiwyd tri o'u plant, a William, yr hynaf (g. 1835) yn un ohonynt, yn eglwys Cilcain. Ar ôl i Robert ddilyn ei dad fel tenant Hendrefigillt (1840), bedyddiwyd dau arall yn eglwys Helygain (yn 1841 a 1842). Ond yr oedd pedwar eto i ddod. Yr oedd Bryn yn gwybod nid yn unig am y bedyddiadau yng Nghilcain a Helygain, ond hefyd am y ddau olaf o'r pedwar oedd ar goll: fe'u bedyddiwyd yn Ebeneser, Capel yr Annibynwyr, Rhes-y-cae. Ac yr oedd Robert (g. 1848) yn un o'r rheini. Ni wyddom hyd heddiw ym mha le y bedyddiwyd Margaret a Mary. Ond yr wyf fi'n hyderus y bydd Bryn, yn rhinwedd ei swydd fel Cadeirydd Cymdeithas Hanes Teuluoedd Clwyd, yn fy ffonio ryw ddydd i ddweud fod cofrestri rhyw gapel bach arall wedi dod i'r fei . . . a'i fod ef eisoes wedi eu darllen.

Yn ddiamau, uchafbwynt yr helfa yng Nghymru i mi oedd y diwrnod pan gyflwynodd Bryn Ellis i'm sylw y tiroedd a fu unwaith yn rhan o Hendrefigillt, ac achau'r Llwydiaid a fu'n eu ffermio. Bu diwrnod nid llai gwefreiddiol yn yr Eidal ryw ddwy flynedd wedi hynny.

Ar ôl bod yn Helygain, teimlwn fy mod bellach mewn cysylltiad â gorffennol y Llwydiaid yng Nghymru, a'm bod hefyd, trwy Roberto Lloyd, o dipyn i beth yn cael gwybod rhywbeth am y gangen o'r teulu a sefydlwyd yn Firenze gan ei dad, yr arlunydd. Ond ŵyr, nid mab, yw Roberto i'r William a ymfudodd i'r Eidal o Gymru, ac yn Livorno, nid yn Firenze, y bu hwnnw a'i frawd Robert yn byw. Yr oeddwn erbyn hyn wedi dysgu tipyn mewn llyfrgelloedd am hanes y gymdeithas gosmopolitaidd a ddatblygasai yn Livorno pan oedd yn borthladd rhydd, cymdeithas a oroesodd am gyfnod hir wedi hynny; ond nid oeddwn wedi dod o hyd i unrhyw lwybr a arweiniai at feibion Hendrefigillt yno. Yn ôl y rhestr achau a anfonasid ataf gan Roberto, yr oedd un o blant Robert (1848-1923), sef Margaret (g. 1910), wedi priodi Dr Francesco Cricchio yno. Ni roddid rhagor o wybodaeth am y gangen honno, ac yr oeddwn eisoes wedi cael ar ddeall mai prin braidd fu'r gyfathrach yn ddiweddar rhwng Llwydiaid Firenze a Llwydiaid Livorno. Bernais taw'r ffordd gallaf o sicrhau gwybodaeth bellach oedd mynd i Livorno fy hun. Unwaith eto, dechreuais gyda'r llyfr ffôn. A chefais taw un Cricchio yn unig oedd yn rhestr Livorno, sef Dr Guido Cricchio, meddyg. Ffoniais ei dŷ. Nid oedd i mewn, ond cefais sgwrs ddiddorol gyda'i wraig, Signora Barbara, a'r wybodaeth taw ei mam-yng-nghyfraith hi oedd Signora Margaret Lloyd Cricchio. Yn ddiweddarach yr un noson galwodd ei gŵr i'm gwahodd i a'm gwraig i'r tŷ i gwrdd â'i fam.

Cawsom ein cyflwyno i ddynes hynod o hardd ac urddasol. Yr oedd merch Robert Lloyd, Hendrefigillt, yn wyth a phedwar ugain ar y pryd, ond nid oedd y blynyddoedd wedi pylu dim ar ei deall na'i chof. Tair ar ddeg oed oedd hi pan fu farw ei thad, ond yr oedd ganddi lu o atgofion. 'Yr oedd mor garedig. Yr oedd yn ddigon hen i fod yn dad-cu inni. Byddai wrth ei fodd am oriau yn adrodd hanes Livorno a'r cymeriadau rhyfedd oedd yma pan ddaeth yma yn llanc deunaw oed o Gymru, a'i syndod pan welodd am y tro cyntaf eu cymydog o'r Dwyrain Canol yn gwisgo *fez*. Yr oedd ei gof yn rhyfeddod!' Y mae cof ei ferch hefyd yn rhyfeddod. Cawsom ganddi hanes ei thad a hefyd ei hanes ei hun 'fel merch i Gymro a chwaer i Gymro a gwraig i Eidalwr yn byw yn yr Eidal yn ystod yr Ail Ryfel Byd . . .' Yna tynnodd allan lythyrau a ysgrifennwyd gan Maria Lloyd, Hendrefigillt, at ei mab Robert pan oedd ef yn llanc dwy ar bymtheg oed yn astudio yn Llundain. Yn Saesneg yr ysgrifennai Maria. Yna fe ychwanegodd Margaret: 'Mae un llythyr arall yma. Efallai y byddech mor garedig â'i gyfieithu o'r Gymraeg i'r Eidaleg imi'. Llythyr ydoedd a ysgrifennwyd yn 1865 gan William Lloyd at ei frawd ifanc Robert, neu Robin, fel y'i gelwid gan y teulu. Yr oedd William eisoes yn byw yn Livorno ac wedi sefydlu busnes yno; yr oedd Robert ar ei ffordd allan i ymuno ag ef. O'r diwedd teimlwn ein bod wedi dod i ben y daith a'n bod yn cael cip ar fywyd y ddau fachgen a ymfudodd. Deallodd Signora Barbara yr olwg ar fy wyneb i'r dim. 'Gwell imi fynd allan am funud i wneud llungopi o hwnna ichi,' meddai, 'tra byddwch chi'n mynd trwy'r gweddill o'r papurau gyda 'mam-yng-nghyfraith.'

Bellach gwyddem fod gennym ddrws agored yn y tri lle angenrheidiol – Helygain, Firenze a Livorno – ac na fyddai'n anodd cael rhagor o wybodaeth yn ôl y galw.

Y TEULU YN HENDREFIGILLT

Os bodolaeth enw Llewelyn Lloyd ymhlith y *postmacchiaioli* oedd y dirgelwch a'm hudodd gyntaf i wneud tipyn bach o ymchwil ar ei gefndir teuluol, mae'n rhaid imi gyfaddef bod cyfaredd yr enw Hendrefigillt wedi bod yn gymhelliad pellach. Yr ydym i gyd yn barod i esbonio *Hendre*. Ond beth am *Figillt*? Trwy lwc, y mae awdurdod ar enwau lleoedd Sir y Fflint, Hywel Wyn Owen, eisoes wedi rhoi sylw i'r elfen hon, a da gennyf ddweud nad yw darllen ei drafodaeth olau ef wedi gwneud dim i leihau rhamant yr enw i mi. Mae'n debyg taw datblygiad o enw personol yw *Figillt*. Amrywiadau o'r enw personol hwnnw yw *Bugil, Bugail, Bigail* a *Bigel*. Ceir enghreifftiau ohono yn Sir Fôn, yn *Llanfugail* (gyda'r amrywiadau *Llanfigel, Llanfigil, Llanfigael)* a *Maen Bigel*. Fel y sylwa Dr Owen, nid yw treiglo cytsain ar ôl *Hendre* yn anarferol (e.e. *Hendreforgan, Hendreforfudd*); felly nid yw'n syndod ein bod yn cael *f*, yn lle *b*, yn *Figillt*. Yr hyn sy'n ddiddorol, o safbwynt ieithegol, yw bod *Figil* neu *Figill* yma yn troi'n *Figillt*, fel y troes *Bagil* yn *Bagillt* a *Coleshill* yn *Cwnsyllt*. Ond pwy oedd Bugil? Yn ffodus, pwy bynnag oedd, nid yw ei enw wedi diflannu'n llwyr o'r gymdogaeth, gan fod *Nant Figillt* ar y map o hyd.

Nid ar dir Dug Westminster, fel rhai o'u cymdogion, y bu Llwydiaid Hendrefigillt yn ddeiliaid, ond ar ystâd a berthynai i ddisgynyddion teulu Cymreig o dirfeddianwyr, cangen o deulu Mostyn. Pan roddwyd Hendrefigillt ar werth yn 1874, ar ymadawiad y Llwydiaid, fe'i disgrifiwyd fel rhan o'r 'Cilcen Hall Estate'.

Peter Lloyd yw'r Llwyd cyntaf y gwyddom iddo fod yn denant yn Hendrefigillt; yr oedd yno o leiaf o 1749 ymlaen. Pan briododd Peter ag Elizabeth, merch o'r Wyddgrug, yn eglwys yr Wyddgrug ym mis Ionawr 1741, disgrifiwyd ef fel gŵr o Laneurgain. Bedyddiwyd pedwar o'u plant, Mary (1748), Edward (1750), Peter (1753), a Hugh (1756), yn eglwys Helygain. Ond mae ewyllys Peter y tad (1769) yn sôn hefyd am fab arall, John, ac yn ei roi ar ben y rhestr wrth enwi'r plant. Mae'n debygol felly mai John oedd yr hynaf ac yn lled sicr mai ef oedd y John Lloyd, yntau yn fab i Peter ac Elizabeth Lloyd, a aned ym mis Hydref 1741 ac a fedyddiwyd yn yr Wyddgrug. Os felly, gallwn ychwanegu dau fab arall a fedyddiwyd yno (Edward yn 1744 a Richard yn 1745), er nad oes sôn amdanynt yn yr ewyllys. Bu Peter Lloyd farw yn 1771, ac fe'i dilynwyd yn y ddeiliadaeth gan ei wraig Elizabeth tan ei marwolaeth hi yn 1782.

Y deiliad nesaf oedd eu mab Edward. Ganed ef yn 1750. Priododd â Margaret Davies, merch o Laneurgain, yn eglwys Llaneurgain, yn 1785. Bu Edward fyw i fod yn ddeg a phedwar ugain, ac fe gadwodd y denantiaeth tan ei farwolaeth yn 1840. Bu Margaret fyw tan 1856. Am ddim a wn yn amgen, bedyddiwyd eu plant hwy i gyd yn eglwys Helygain. O leiaf, fe fedyddiwyd un ar ddeg ohonynt yno dros gyfnod o dair blynedd ar hugain: Elizabeth (g. 1786), Edward (g. 1789), John (g. 1791; claddwyd o Bryn Madyn, Bagillt, yn 1853), Mary (g. 1794), Sarah (g. 27 Ebrill, 1798 a'i chladdu 17 Mai, 1798), Hugh (g. 1799), Robert (g. 1801), Thomas (g. 1803), Margaret (g. Awst 1805; claddwyd Ionawr l806), Sarah (g. 1807), a William (g. 1809).

O'r rhain, mae Robert o ddiddordeb arbennig i ni. Ef oedd tad y bechgyn a ymfudodd i Livorno. Ganed Robert ym mis Mehefin 1801. Priododd â Maria Hughes (g. Mehefin 1810), merch John Hughes, Cilcain, yn eglwys Cilcain, 12 Rhagfyr, 1834. Bu Maria fyw tan 1891. Pan briodwyd Robert â Maria, yr oedd yr hen Edward Lloyd yn dal yn denant yn Hendrefigillt. Fe fu Robert yn ffermio yn gyntaf yn Tarth-y-dŵr, Cilcain, ac yna yn Tŷ'n-twll, Cilcain, fel y sylwyd yn y bennod flaenorol. Nid yw'n annisgwyl, felly, taw yn eglwys Cilcain y bedyddiwyd eu cyntafanedig, William (ganed yn Tarth-y-dŵr ym mis Mai, 1835; ymfudodd i Livorno 1858). Felly hefyd Edward (g. 1836 yn Tŷ'n-twll, Cilcain) a John (g. 1839 yn Tŷ'n-twll; claddwyd yn Ionawr 1841). A Robert Lloyd wedi cael y denantiaeth fel olynydd i'w dad, fe symudodd y teulu ifanc i Hendrefigillt yn 1840. Bedyddiwyd y ddau blentyn nesaf yn eglwys Helygain: Thomas (g. 1841; claddwyd 1854) a Sarah (g. 1842). Ni wyddom ym mha le y bedyddiwyd Margaret (g. 1845) a Mary (g. 1847?). Yn Ebeneser, Capel yr Annibynwyr, Rhes-y-cae, y bedyddiwyd Robert (g. Mehefin 1848; ymfudodd i Livorno, 1865) a Maria (g. Mawrth 1850). Tybed ai mewn capel arall y bedyddiwyd Margaret a Mary?

Olynydd Robert fel tenant Hendrefigillt yn 1873 oedd ei fab hynaf, William. Ond yr oedd ef eisoes yn ddyn busnes llwyddiannus yn yr Eidal, lle buasai'n byw oddi ar 1858, ac y mae'n debyg mai derbyn y

Carreg fedd Robert Lloyd (1801-1873) a Maria ei wraig (1810-1891) yn hen fynwent Helygain.

Yr arysgrif ar y garreg.

denantiaeth er mwyn cael amser i roi trefn ar ymadawiad y Llwydiaid a wnaeth. Rhoddwyd y fferm ar werth, ynghyd â chwarel Hendre a hawliau i weithio plwm yn y gymdogaeth, mewn ocsiwn yn Llundain yn 1874.

Arswyd efallai yw'r teimlad cryfaf a brofa'r rhan fwyaf ohonom wrth ddarllen cofrestri eglwysi neu gerrig beddau o'r cyfnod dan sylw: y peth cyntaf sy'n ein taro yw bod cynifer o blant bach yn marw. Os darllenwn garreg fedd Robert Lloyd (1801-1873) a Maria ei wraig (1810-1891) yn hen fynwent Helygain, er enghraifft, gwelwn taw'r digwyddiad cyntaf a groniclir arni yw claddu eu mab John, a aned yn 1837 ac a fu farw ym mis Ionawr 1841. Nid oedd Llwydiaid Hendrefigillt yn eithriad o gwbl yn hyn o beth.

Peth arall sy'n ein taro yn fuan, wrth gwrs, yw'r prinder enwau yn y cofrestri: mae teuluoedd yn defnyddio'r un enwau drachefn a thrachefn. Sylwn fod Llwydiaid Hendrefigillt yn hoff aethus o Robert, John, Edward, William, Elizabeth, Mary, Margaret a Sarah. Yn wir, nid yn unig y deuwn o hyd i'r un enwau o genhedlaeth i genhedlaeth; weithiau fe all yr un enw gael ei ddefnyddio ddwywaith yn yr un genhedlaeth. Collodd Robert a Maria ferch fach yn 1798. Ei henw oedd Sarah. A Sarah hefyd oedd yr enw a ddewiswyd i'r olaf ond un o'u plant yn 1807. Yn hyn o beth eto, nid oedd y Llwydiaid yn eithriad.

Mae prinder enwau bedydd o'r fath wrth reswm yn gallu creu anawsterau os mynnwn olrhain achau, yn enwedig os yw cyfenw'r teulu hefyd yn gyffredin. Meddylier am eiliad am y John Lloyd hwnnw y tybiaswn ei fod yn fab i Peter Lloyd am fod ei enw wedi ymddangos ymhlith plant Peter yn ei ewyllys yn 1769. Daethwn i'r casgliad mai ef, yn ôl pob tebyg, oedd y mab hynaf. Ond nid John, eithr Edward, a ddilynodd eu rhieni yn y denantiaeth yn Hendrefigillt. Beth, felly, a ddaeth o John? Yn anffodus, nid oes gennym ddyddiad ar gyfer ei farw. Mae'n eithaf posib bod ei farwolaeth wedi ei chofrestru mewn plwyf arall yn Sir y Fflint; dichon fod John wedi bod yn ffermio lle cyfagos. Ond mae Llwydiaid ym mhob un o'r plwyfi tebygol ac, ysywaeth, nid yw John yn enw anghyffredin yn eu plith! Yr oedd dwy fferm arall yn agos iawn i Hendrefigillt, sef Dolfechlas Uchaf a Dolfechlas Isaf, a chladdwyd un John Lloyd o Dolfechlas Uchaf yn 1813. Ond ymddengys mai gŵr a aned yn 1731, nid yn 1741, oedd hwnnw. Ar y llaw arall, yn sicr bu cysylltiadau o

Yr hen eglwys yn Helygain.
O lun dyfrlliw gan Moses Griffith (1749-1819) yn Archifdy Sir y Fflint.

bryd i'w gilydd rhwng Llwydiaid Hendrefigillt a Llwydiaid Dolfechlas; o Dolfechlas y claddwyd Margaret, gweddw Edward Lloyd Hendrefigillt, yn 1856. A'r enwau a roddwyd i blant John Lloyd Dolfechlas yn eu tro oedd: John, Margaret, Elizabeth, Edward, Elenor, Sarah a Mabella. Mae gweld Mabella yma yn amheuthun; tybed ai Elenor, gwraig John, a fu'n gyfrifol am enwi Elenor a Mabella? Enwau Hendrefigilltaidd iawn sydd i'r lleill. Yn anffodus, nid ydynt yn ddigon anghyffredin i fod yn ddadl gref iawn dros gysylltu John ag unrhyw deulu arbennig!

Difyr yw sylwi taw'r William Lloyd a ymfudodd i'r Eidal oedd y cyntaf yn y teulu i fentro roi enwau fel Llewelyn, Idris ac Emrys i'w blant. Fel y cawn weld, fe ddangosodd ef mewn ffyrdd eraill hefyd ei fod yn ymwybodol o'i etifeddiaeth Gymreig a Chymraeg.

Nid oes angen arolwg defnydd tir arnom i sylweddoli bod Hendrefigillt wedi bod yn fferm ragorol. Ni allwn fynd i rannau ohoni mwyach, am fod y chwarel yno; ond mae cerdded ar draws rhai o'r caeau sydd o amgylch honno yn ddigon i'n sicrhau bod cryn dipyn o dir o ansawdd da iawn wedi bod yn rhan o fferm y Llwydiaid. Ni wyddom ei maint yn amser Peter Lloyd, ond gwyddom ei bod wedi tyfu yn 1782, pan atodwyd fferm arall ati. Yn 1839 yr oedd yn 144 o erwau. Parhawyd i ychwanegu ati, a phan osodwyd y fferm ar werth yn 1874, honnwyd yn yr hysbysiad o'r ocsiwn ei bod yn 200 o aceri. Byddai'r fywoliaeth a sicrhâi wedi bod yn sylfaen ddiogel i weithgareddau a mentrau eraill aelodau'r teulu. Yn ôl dogfen anghyhoeddedig a ysgrifennwyd gan William Lloyd (1907-80), mab Llewelyn Lloyd yr arlunydd, bu ei hen dad-cu yn fath o giaffar yn un o'r mwynfeydd plwm am gyfnod, ac yng nghyfrifiad 1871 disgrifiwyd Robert fel ffermwr a bragwr ('maltster'). Mae'n deg casglu y byddai deiliaid Hendrefigillt wedi mwynhau safon byw a fyddai wedi ymddangos yn dra uchel i'r mwynwyr plwm a ffurfiai garfan bwysig o boblogaeth Helygain yn y bedwaredd ganrif ar bymtheg. Ni wyddom ddim am fachgendod William Lloyd, ond mae'r gwaith a wnaeth yn yr Eidal, a'r llythyrau a adawodd, yn awgrymu ei fod wedi cael addysg dda. A gwyddom fod y teulu wedi anfon Robert ei frawd i Lundain i astudio cyn iddo yntau ymfudo. Mae syberwyd y llythyrau a ysgrifennodd eu mam yn Saesneg at 'my dear Robin' pan oedd yn y brifddinas hefyd yn agoriad llygad: nid y bechgyn yn unig oedd yn llythrennog ac yn ddiwylliedig yn Hendrefigillt.

Yr oedd y Llwydiaid, fel y dengys y rhestrau o'u plant yn y bennod hon, yn lled epiliog, eto heb fod yn eithriadol ymhlith eu cyfoeswyr. Un mab ym mhob cenhedlaeth a allai fod yn denant yn Hendrefigillt. Byddai rhai o'r meibion wedi chwilio am denantiaeth mewn ffermydd cyfagos, fel y gwnaeth Robert yn Tarth-y-dŵr a Tŷ'n-twll, cyn iddo gael deiliadaeth Hendrefigillt; claddwyd o leiaf un o'i frodyr o fferm arall yn Sir y Fflint. Ond, a'r boblogaeth ar gynnydd gwyllt, byddai'n eglur erbyn canol y ganrif fod gofyn i rai o'r plant edrych ymhellach na'r ffermydd o'u cylch os oeddynt i sicrhau bywoliaeth deilwng i'w teuluoedd. Yn *Hanes Cymru* Dr John Davies, mae'r bennod ar y cyfnod 1770-1850, yn agor gyda'r brawddegau hyn:

> Yr oedd tua 500,000 o bobl yn byw yng Nghymru yn 1770; trigai 1,163,000 ynddi yn 1851. Dyblodd y boblogaeth mewn rhyw ddwy genhedlaeth; gynt, roedd angen deuddeg cenhedlaeth i hynny ddigwydd. Yn 1770, trwy drin y tir yr enillai mwyafrif y Cymry eu bywoliaeth; yn 1851 dim ond traean ohonynt a weithiai mewn amaethyddiaeth. O'r braidd y gallai unrhyw newid mwy sylfaenol ddod i ran cenedl, sef fod y profiad o drin y tir, galwedigaeth trwch y

boblogaeth er pan ddyfeisiwyd amaethyddiaeth yn yr Oes Neolithig, yn troi'n brofiad lleiafrif.

Y mae'r ffigurau a rydd yn y bennod nesaf hyd yn oed yn fwy brawychus: yr oedd 1,163,130 o bobl yn byw yng Nghymru yn 1851; trigai 2,523,500 yno yn 1914.

Fel y gwyddys, bu twf diwydiant yng Nghymru yn ddigon cyflym i roi gwaith i liaws o'r rheini nad oedd bywoliaeth iddynt yn yr ardaloedd gwledig. Eto i gyd, mudo fu'r waredigaeth i lawer. I deulu galluog, effro a mentrus fel y Llwydiaid, byddai'r arwyddion wedi bod yn ddigon amlwg erbyn cenhedlaeth William Lloyd (1835-1884) a'i frawd Robin (1848-1923). Nid arhosodd yr un o blant Robert a Maria yn eu hen gynefin, er i un o'r merched ddychwelyd i fyw yn yr Wyddgrug am ychydig flynyddoedd ar ddiwedd ei hoes.

Ac nid y sefyllfa gyffredinol a ddisgrifiwyd uchod fyddai'r unig beth a'u poenai. Onid oedd pwysigrwydd cynyddol chwarel Hendre yn rhybudd iddynt na allai'r cenedlaethau i ddod fod yn sicr hyd yn oed o Hendrefigillt? Oni ddeuai'n fwyfwy amlwg bod yr elw y gellid ei hennill o'r cwar yn mynd i fod yn drech nag ystyriaethau eraill? Ystyrier y poster a gyhoeddwyd gan yr arwerthwyr yn 1874:

NORTH WALES
IN THE COUNTY OF FLINT
PARTICULARS, PLANS AND CONDITIONS OF SALE
OF VERY VALUABLE
FREEHOLD
AGRICULTURAL & MINERAL PROPERTIES,
Being the unsold portion of the
"CILCEN HALL" ESTATE
Comprising a FERTILE FARM, known as
"HENDRE FIGILLT,"
consisting of nearly
200 ACRES
Of Arable, Pasture and Woodland,
SITUATE IN THE PARISH OF HALKIN, IN THE COUNTY OF FLINT,

And midway between Rhydymwyn and Nannerch Railway Stations, on the Mold and Denbigh Railway, within easy distance of Chester, Mold and Denbigh, and within two and three hours' journey respectively of Liverpool and Manchester, by the London and North-Western Railway;

Together with all those
RICH AND VALUABLE MINERAL PROPERTIES,
Known as the HENDRE LIME WORKS and QUARRY,

With a siding to the Mold and Denbigh Railway; the Lease extends to upward of 4 0 0 A C R E S of Land in the

PARISH OF HALKIN.

Held on Lease at a Dead Rent of £350 per Annum, which will this year be largely exceeded.
The well known NORTH HENDRE LEAD MINE is in full work, and paying Royalties of over £500, still to be increased.
The Great Hendre Lead Mine, by the construction of the proposed deep Level,
to drain the water from the district, will again become a valuable Property.
Also about
FOUR ACRES of LAND with TENEMENT, in the Parish of Ysceifiog,
Suitable for Building purposes.
For Sale by Auction, by Messrs.
H A R D S, V A U G H A N & J E N K I N S O N
AT the M A R T, Tokenhouse Yard, L O N D O N ,
On W E D N E S D A Y, the 8th day of J U L Y, 1874,
AT ONE FOR TWO O'CLOCK PRECISELY, IN TWO LOTS.

The property may be viewed, and Particulars, Plans and Conditions of Sale had of Messrs. FIELD, SON and PULLEY, solicitors, Norwich; of Messrs. ASHURST, MORRIS & Co., Solicitors, 6, Old Jewry, London, E.C.; of Messrs. LACES, BANNER, BIRD & Co., Solicitors, 1, Union Court, Liverpool; of Messrs. Dew & Son, Land Agents, Bangor and Rhyl; at the "Grosvenor Hotel" Chester; the "Black Lion," Mold; the "Bull," Denbigh; the "Belvoir," Rhyl; at the Mart, London; and of the Auctioneers,

6 2 M o o r g a t e S t r e e t, L o n d o n, E. C., and G r e e n w i c h, K e n t .

Ar ôl yr arwerthiant yn 1874, fe symudodd y weddw, Maria Lloyd, i fwthyn, Rhyd Alun, yn nhrefgordd Rhydymwyn, ym mhlwyf Cilcain, ac yno y bu am weddill ei hoes yng nghwmni'r unig un o'i phlant a oedd wedi aros (hyd yn hyn) ar yr aelwyd, sef ei merch Margaret. Yn ôl cyfrifiad 1881, yr oedd pedwar person yn y tŷ yn y flwyddyn honno: Maria Lloyd, gweddw ('private income') a aned

NORTH WALES,

IN THE COUNTY OF FLINT.

Particulars, Plans and Conditions of Sale

OF VERY VALUABLE

FREEHOLD

AGRICULTURAL & MINERAL PROPERTIES,

BEING THE UNSOLD PORTION OF THE

"CILCEN HALL" ESTATE

Comprising a FERTILE FARM, known as

"HENDRE FIGILLT,"

CONSISTING OF NEARLY

200 ACRES

Of Arable, Pasture and Woodland,

SITUATE IN THE PARISH OF HALKIN, IN THE COUNTY OF FLINT,

And midway between Rhydymwyn and Nannerch Railway Stations, on the Mold and Denbigh Railway, within easy distance of Chester, Mold and Denbigh, and within two and three hours' journey respectively of Liverpool and Manchester, by the London and North-Western Railway;

TOGETHER WITH ALL THOSE

Rich and valuable Mineral Properties,

Known as the HENDRE LIME WORKS and QUARRY,

With a siding to the Mold and Denbigh Railway; the Lease extends to upwards of **400 Acres** of Land in the PARISH OF HALKIN.

Held on Lease at a Dead Rent of £350 per Annum, which will this year be largely exceeded.

The well known NORTH HENDRE LEAD MINE is in full work, and paying Royalties of over £500, still to be increased.

The Great Hendre Lead Mine, by the construction of the proposed deep Level, to drain the water from the district, will again become a valuable Property.

ALSO ABOUT

FOUR ACRES of LAND with TENEMENT, in the Parish of Ysoeifiog,

Suitable for Building purposes.

For Sale by Auction, by Messrs.

HARDS, VAUGHAN & JENKINSON

At the MART, Tokenhouse Yard, LONDON,

On WEDNESDAY, the 8th day of JULY, 1874,

AT ONE FOR TWO O'CLOCK PRECISELY, IN TWO LOTS.

The Property may be viewed, and Particulars, Plans and Conditions of Sale had of Messrs. FIELD, SON and PULLEY, Solicitors, Norwich; of Messrs. ASHURST, MORRIS & Co., Solicitors, 6, Old Jewry, London, E.C.; of Messrs. LACES, BANNER, BIRD & Co., Solicitors, 1, Union Court, Liverpool; of Messrs. DEW & SON, Land Agents, Bangor and Rhyl; at the "Grosvenor Hotel," Chester; the "Black Lion," Mold; the "Bull," Denbigh; the "Belvoir," Rhyl; at the Mart, London; and of the Auctioneers,

62 *Moorgate Street, London, E.C., and Greenwich, Kent.*

Gwerthu Hendrefigillt yn 1874: y poster.

yng Nghilcain; Margaret ei merch, a aned hefyd yng Nghilcain; Ferris Lloyd ('grandson. Italy. British subject'); a Mary Elisabeth Tilston ('servant. Derby. Burton'). Tybiaf taw camgymeriad yw Ferris yma am Idris. Anfonwyd Idris, mab William Lloyd Hendrefigillt, a brawd i'r arlunydd Llewelyn, yn ôl i Gymru i gael ei addysg cyn iddo ymuno â'i ewythr Robert yn y busnes yn Livorno; ac yr oedd ef, fel y dywedir am 'Ferris' yn y cyfrifiad, yn ddeng mlwydd oed yn 1881. Yn ystod cyfrifiad 1891 tair menyw oedd yn y bwthyn: Maria Lloyd; Margaret ei merch; a morwyn arall, Ruth Jones. Y tro hwn croniclir yn gywir taw yn Helygain y ganed Margaret. Y tro hwn hefyd cynhwyswyd cwestiwn ynghylch yr iaith a siaradent, ac yr oeddynt ill tair yn siarad 'both'.Yr oedd oedran Maria wedi symud o 70 yn 1881 i 80 yn 1891, tra yr oedd Margaret wedi symud o 32 i 37. Mae hyn yn profi naill ai bod rhai pobl yn heneiddio'n gyflymach na'i gilydd, neu na ddylem ni ddim credu popeth a welwn mewn dogfennau swyddogol!

Yn oes Victoria, yr oedd yr ymerodraeth Brydeinig yn hen ddigon mawr i lyncu'r warged ym mhoblogaeth y Deyrnas Unedig; os oedd llanc abl a llythrennog â'i fryd ar ymfudo, onid oedd cryn bosibilrwydd y gallai ddod o hyd i yrfa addawol yn Awstralia, Seland Newydd neu Ganada? Ac os nad oedd yr ymerodraeth yn apelio, ceid cyfleoedd atyniadol yn yr Unol Daleithiau, gwlad arall lle y byddai gwybodaeth o'r Saesneg yn rhoi mantais i ymfudwyr o Gymru. Fe briododd Mary Lloyd Hendrefigillt â John Hughes ac ymsefydlu yn Fond-du-Lac, Wisconsin. Pam yn y byd, felly, y troes ei brodyr, William a Robert Lloyd, eu golygon tuag at borthladd yn yr Eidal, a hynny mewn canrif pryd y gadawai miliynau o Eidalwyr eu gwlad er mwyn ceisio gwella eu byd? Ac os oeddent wedi penderfynu allforio nwyddau o borthladd yn yr Eidal, pam y dewiswyd Livorno yn hytrach na Genova neu Napoli?

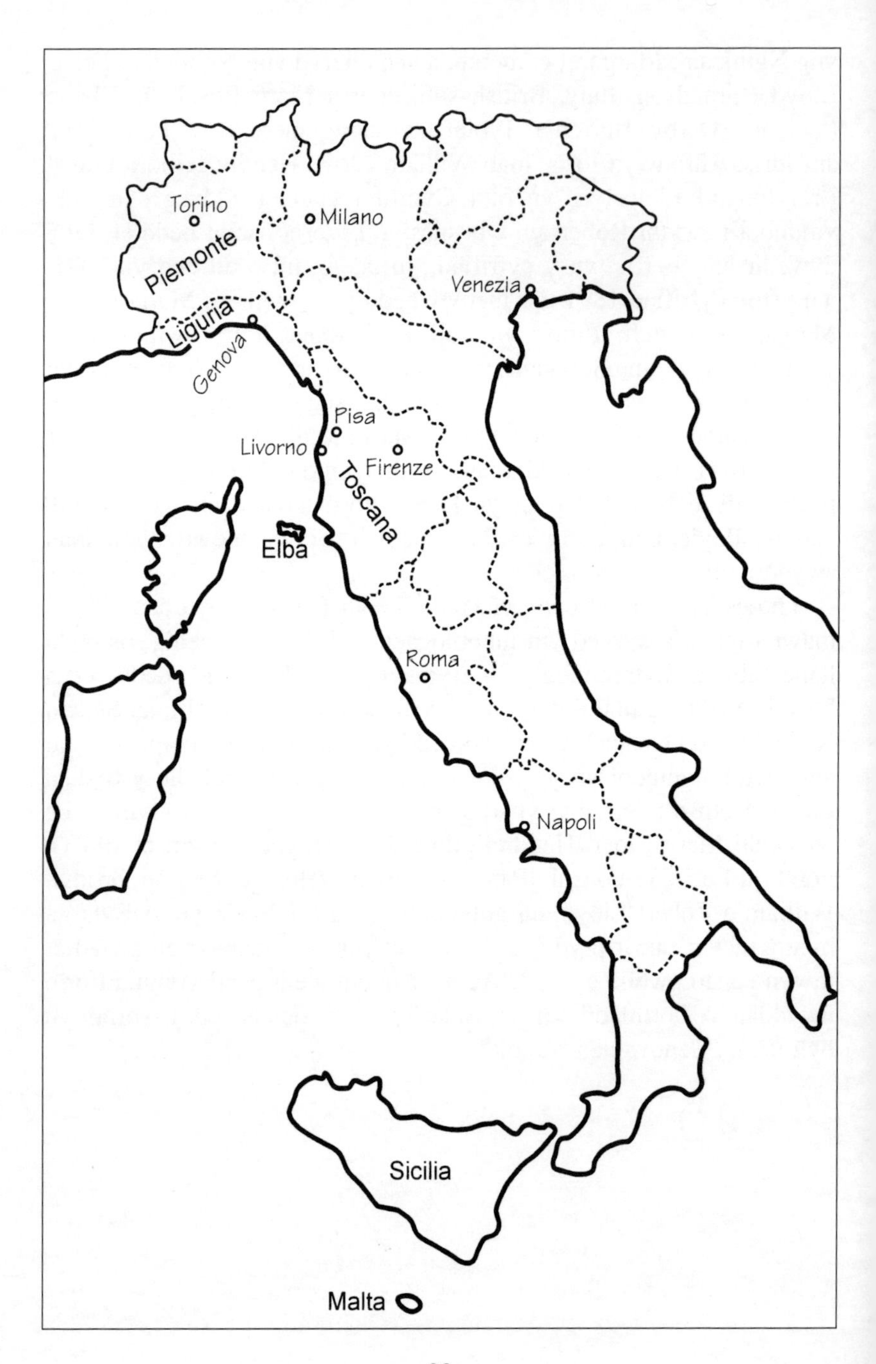
Torino
Milano
Piemonte
Venezia
Liguria
Genova
Pisa
Livorno
Firenze
Toscana
Elba
Roma
Napoli
Sicilia
Malta

PAM LIVORNO?

Yn yr Oesoedd Canol, pentref eithaf di-nod ar arfordir Toscana oedd Livorno. O'r flwyddyn 1103 ymlaen, am yn agos i dair canrif, bu ym meddiant Pisa, pan oedd Pisa, 'brenhines y Gorllewin', yn ymddangos yn rym anorthrech yn y Môr Canoldir. Daeth diwedd trychinebus i'r cyfnod gogoneddus hwnnw yn hanes Pisa yn sgil y cystadlu a'r rhyfela a fu rhyngddi a Genova. Syrthiodd Livorno i ddwylo'r Visconti yn 1399 ac i ddwylo Genova yn 1407. Daeth tro ar fyd yn 1421: gwerthwyd Livorno i Firenze am gan mil fflorin aur.

Nid yn y celfyddydau yn unig y disgleiriai Firenze yn ystod y Dadeni Dysg; yr oedd eisoes yn wladwriaeth o bwys yn economaidd ac yn wleidyddol, gyda'i bancwyr a'i masnachwyr yn enwog ar draws Ewrop am eu medr a'u cyfoeth. Ac yr oedd arni angen porthladd. Dan lywodraeth Cosimo de' Medici aed ati o ddifrif i sicrhau y byddai Livorno yn diwallu'r angen. Yn 1547 trefnwyd i fasnachwyr a ymsefydlai yn y ddinas gael eu heithrio rhag talu trethi am ddeng mlynedd, a diddymwyd pob cosb gyfreithiol (ac eithrio am lofruddiaeth a theyrnfradwriaeth) yn achos unrhyw droseddwr a fyddai'n barod i fynd yno i fyw ac i weithio. Yn 1571 dechreuwyd adeiladu harbwr ardderchog, a hyd heddiw gellir edmygu cynllun a chadernid y *porto mediceo* a ddaeth yn un o sylfeini llwyddiant Livorno. Ac yn 1577 ymwelodd Francesco de' Medici â'r ddinas pan osodwyd y garreg gyntaf yn y 'ddinas ddelfrydol' a gynlluniwyd gan yr athrylith pensaernïol Bernardo Buontalenti. Amcangyfrifwyd bod llai na 15,000 o drigolion yn yr hen bentref a'r cyffiniau ar y pryd, y rhan fwyaf ohonynt yn gweithio ar y tir, ac mai dim ond rhyw 700 o bobl oedd yn byw yn y gymuned drefol yn ymyl y porthladd lle y bwriadai Buontalenti i'r ddinas gael ei sefydlu. Darparodd ar gyfer 50,000. Daeth ei gynllun mawreddog, gyda'i heolydd eang a'i *piazze* helaeth, yn batrwm i gynllunwyr mewn llawer gwlad. Gwelir enghraifft o hynny ym Mainz yn yr Almaen, i enwi ond un. A bernir bod cynlluniau manwl un o ddilynwyr Buontalenti ar gyfer y *Piazza Grande* yn Livorno wedi dylanwadu'n drwm ar Inigo Jones pan gynlluniodd yntau y sgwâr cyntaf yn Llundain, yn Covent Garden.

Ferdinando I de' Medici: rhan o'r gofadail yn Livorno.

Nid artist mawr yn unig oedd Buontalenti; yr oedd hefyd yn ŵr ymarferol. Un o ragoriaethau ei gynllunio oedd y sylw manwl a roes i ddyfodol Livorno fel porthladd; fe'i gwelir yn y cronfeydd dŵr, y system garthffosiaeth, y cartrefi i forwyr, a'r *lazzeretto*, yr ysbyty lle y cedwid estroniaid a gyrhaeddai Livorno yn sâl, rhag iddynt heintio gweddill y boblogaeth.

Eto i gyd, mae'n debyg taw'r cyfraniad pwysicaf a wnaed i dwf ac i gymeriad cosmopolitaidd Livorno oedd deddf a gyhoeddwyd yn 1593 gan Ferdinando I de' Medici (Arch-ddug Toscana, 1589-1609), math o siarter a sicrhâi ryddid yn Livorno i bobl o bob cenedl a phob crefydd. Bu'r *Livornina*, fel y'i gelwid, yn llythrennol yn fodd i fyw i rai ac yn atyniad i lawer, yn fath o wahoddiad i'r gorthrymedig. O'i herwydd, fe ddenwyd Protestaniaid a erlidiwyd mewn gwledydd Pabyddol, Pabyddion a ddioddefodd mewn gwledydd Protestannaidd, Iddewon, Moslemiaid, ac aelodau o bob math o leiafrif ethnig dan ormes. Erbyn y ddeunawfed ganrif, yr oedd dros hanner trigolion Livorno yn estroniaid. Yno, câi pawb yr hawl i fyw heb orthrwm a'r hawl i addoli fel y mynnent. Ac wrth gwrs fe gyrhaeddodd mewnfudwyr, nid yn unig o wledydd estron, ond hefyd o wladwriaethau eraill yn yr Eidal; yr oedd goddefgarwch Livorno yn gwbl eithriadol. Yn ogystal, fe gynigiai gyfleoedd masnachol eithriadol.

Bu'r tywysogion o linach Habsburg-Lorraine a ddilynodd y Medici hwythau'n barod i hyrwyddo llwyddiant Livorno, yn enwedig yr olaf ohonynt, Leopoldo II; yn y bedwaredd ganrif ar bymtheg fe helaethwyd y dref ymhellach ac fe adeiladwyd y morglawdd crwm sy'n gwarchod yr harbwr rhag y môr agored.

O safbwynt llywodraethwyr Toscana yn Firenze, bu rhyw eironi creulon yn eu perthynas â Livorno. Bu eu cefnogaeth, eu nawdd a'u cyfoeth yn holl bwysig yn hanes datblygiad y porthladd. Ond ni welwyd yr un twf yng ngallu Firenze a Toscana i allforio; yn wir, yn economaidd colli eu lle a wnaethant ymhlith cenhedloedd Ewrop. Oherwydd hynny, aeth y porthladd i ddibynnu fwyfwy ar fasnach a chysylltiadau rhyngwladol, ac fe dyfodd yn lle gwahanol iawn ei naws i'w gefnwlad daearyddol. O'r flwyddyn 1676 ymlaen bu'n borthladd rhydd. Fe'i disgrifir gan un o'i haneswyr, Paolo Scrosoppi, fel 'dinas wedi ei heithrio bron yn llwyr o'r bywyd Toscanaidd . . . ac yn dilyn gwleidyddiaeth fanteisgar o niwtraledd manwl gywir mewn perthynas ag unrhyw fath o ryfel, ac mewn materion crefyddol yn oddefgar o'i chymharu â Toscana dra phabyddol'. Cadwodd ei statws fel porthladd rhydd tan chwedegau'r bedwaredd ganrif ar bymtheg, pryd yr unwyd y rhan fwyaf o'r Eidal; pleidleisiodd Livorno, fel lleoedd eraill, mewn refferendwm, i ymuno â'r wladwriaeth newydd. Erbyn hynny, yr oedd yn un o borthladdoedd mawr y Môr Canoldir, fel Genova neu Napoli.

Livorno: Il Porticciolo.

Dechreuodd ymfudwyr o Brydain ymsefydlu yn Livorno yn yr unfed ganrif ar bymtheg, ac yn yr ail ganrif ar bymtheg manteisiwyd yn helaeth ar ddefnyddioldeb y porthladd gan Brydeinwyr a fynnai fasnachu â'r Dwyrain Canol a'r Dwyrain Pell. Gallai Livorno wasanaethu fel warws ar gyfer nwyddau a gyrhaeddai o'r Dwyrain, cyn eu hallforio i wledydd Gogledd Ewrop, neu fel marchnad lle y gellid cyfnewid nwyddau. Eisoes cyn gynhared â 1638 yr oedd Lewes Roberts, y masnachwr craff o Sir Fôn, wedi sylwi ar rai o'r pethau (fel brethynnau, crwyn, plwm, mathau o bysgod, gwêr) y gellid eu gwerthu yno ac ar rai o'r pethau (fel olew, gwin, sidan, reis) y gellid eu hallforio oddi yno. Ni phoenid marsiandwyr gan dollau ar y ffordd i mewn nac ar y ffordd allan. Am gyfnodau byr bu'n rhaid talu treth pan gedwid nwyddau mewn warws yno am fwy na blwyddyn (neu, yn ddiweddarach, ddwy flynedd), ond yn fuan iawn dilewyd y tâl hwn hyd yn oed. Oherwydd y driniaeth anarferol o garedig a gâi estroniaid yn Livorno, yr oedd yn borthladd mwy atyniadol i Brydeinwyr na Venezia neu Genova, lle yr oedd tuedd i ystyried Prydeinwyr yn gystadleuwyr nad doeth rhoi gormod o groeso nac o gymorth iddynt. Yn 1667 disgrifiwyd Livorno fel 'the Scale or Magazin of an Universall English Trade' gan Syr John Finch, cynrychiolydd Prydain yn Toscana, mewn llythyr at yr Ysgrifennydd Gwladol, Arlington. Ac yn 1668 soniai'r dyddiadurwr Barlow am y ddinas fel prif ganolfan fasnachol y Môr Canoldir.

Bu'r harbwr gwych a adeiladwyd gan y Medici a'i ddociau hwylus a helaeth yn gaffaeliad mawr i Livorno fel porthladd galw ac fel canolfan cynnal a chadw. Gwerthid yno bob math o nwyddau ar gyfer llongau a morwyr, ac yr oedd gweithwyr medrus wrth law i drwsio cilbrennau neu hwyliau. Gan fod y daith o Brydain i'r Lefant ac yn ôl yn cymryd blwyddyn (a mwy na hynny pan eid ar ambell neges ychwanegol), yr oedd angen porthladd o'r fath ar longwyr Prydain yn y Môr Canoldir. Yn Livorno hefyd fe roddid gwasanaeth i ymwelwyr heb ormod o holi a busnesa ynghylch eu cynlluniau; un o anfanteision Cádiz, er enghraifft, oedd parodrwydd llywodraeth Sbaen i ymyrryd. A chynigid y cyfleusterau hyn i longau rhyfel a llongau masnach fel ei gilydd, mantais fawr i lynges Lloegr. Ar y llaw arall, pan oedd unrhyw awgrym o ryfel rhwng Lloegr a'r Iseldiroedd neu Ffrainc, gwnâi'r awdurdodau yn Livorno bopeth a allent i ddiogelu'r niwtraledd a oedd yn angenrheidiol i'w llwyddiant masnachol. Byddent hefyd yn ceisio cosbi môr-ladron. Yn 1601, cafodd llong Lifornaidd a gariai nwyddau a oedd yn eiddo i rai o ddinasyddion Toscana ei chymryd yn ysbail gan long o Loegr. Talodd yr Arch-ddug y pwyth yn ôl ar unwaith; atafaelodd yr holl nwyddau a berthynai i fasnachwyr o Brydain yn Livorno a Pisa. Ar ôl hynny, byddai'r masnachwyr yn ochri gyda'r Arch-ddug pan weithredai yn erbyn troseddwyr o Loegr. Cafwyd enghraifft yn ystod yr ymgiprys rhwng Lloegr a'r Iseldiroedd, pan ddaliwyd llong Ffrengig a oedd yn dod i mewn i borthladd Livorno gan long ryfel o Loegr. Galwodd yr Arch-ddug gyfarfod o'r masnachwyr Prydeinig i fynegi ei anghymeradwyaeth ac i ofyn iddynt brotestio yn erbyn y modd y troseddwyd yn erbyn rhyddid y porthladd. Ar ran y masnachwyr fe

Livorno: y *lazzeretto*

ysgrifennodd Morgan Read at yr Henadur Pennington, pennaeth y *Levant Company* yn Llundain, yn gofyn iddo ymyrryd. Yn y diwedd, mynnodd yr Arch-ddug fod capten y llong o Loegr yn cael ei ddisgyblu; bu'n rhaid i'r Capten Appleton addo na fyddai mwyach yn aflonyddu ar longau o Ffrainc a'r Iseldiroedd yng nghyffiniau porthladd Livorno – addewid diangen braidd gan na chynigiwyd rheolaeth iddo ar unrhyw long arall yn ystod gweddill ei yrfa. Rhoddwyd cydnabyddiaeth ryngwladol i niwtraledd Livorno fel porthladd yn y cytundeb heddwch a arwyddwyd yn Llundain yn 1716. Ond ni fu hynny, wrth gwrs, yn ddigon i'w hachub rhag sylw Napoleon pan gyrhaeddodd ef Toscana yn negawd olaf y ddeunawfed ganrif.

Yn hanes y gymuned Brydeinig yn Livorno, chwaraewyd rhan bwysig gan y *British Factory*. Nid ffatri a olygid gan yr ymadrodd hwn, eithr math o bwyllgor neu gyngor o *factors,* sef marsiandwyr a goruchwylwyr busnesau Prydeinig yn Livorno. Amrywiai'r busnesau hyn o ran nifer ar wahanol adegau rhwng ugain a hanner cant. Collwyd cofnodion y corff hwn, ond ceir cyfeiriad ato yn 1704. Fe amddiffynnai hawliau masnachwyr o Brydain, a gofalai am Brydeinwyr yr oedd angen cymorth arnynt. Yn 1734 fe roes llywodraeth Prydain awdurdod i'r *factors* i godi treth fechan ar longau Prydeinig a ddefnyddiai'r porthladd i sicrhau cyllid ar gyfer eu gwaith. Yn ôl y ddeddf,

> the Factors of Leghorn shall have the right to tax one lira per ton on all tonnage goods entering in British vessels and ⅓ lira per Bale or Parcel, for the succour and relief of Mariners shipwrecked and taken in war, and other distressed persons, His Majesty's Subjects, and other charitable public uses as shall from time to time be appointed by the Consul with the majority of the British Merchants and Factors residing at Leghorn.

Yr enw answyddogol a roddid i'r gronfa a sefydlwyd felly oedd Pwrs y Conswl. Yn ystod y cyfnod rhwng 1759 a degawd olaf y ganrif yr oedd traean o'r nwyddau a ddeuai i mewn i Livorno yn cyrraedd mewn llongau Prydeinig, ac ar brydiau byddai dros hanner y llwythau yn y porthladd yn eiddo i aelodau o'r *British Factory.* Daeth eu hoes aur i ben gyda dyfodiad Napoleon Bonaparte. Tarfwyd ar y masnachwyr Prydeinig gan bresenoldeb Napoleon yn yr Eidal yn 1795, ac erbyn iddo gyrraedd Livorno yn 1796 gyda'r bwriad o ysbeilio, yr oedd y masnachwyr wedi symud y rhan fwyaf o'u heiddo allan. Yn anffodus i gwmni Panton, yr oedd pennaeth y busnes hwnnw'n sâl ar y pryd, ac fe arhosodd ei fab gydag ef yn Livorno, gan obeithio y caniateid iddynt gadw eu heiddo. Yn ofer: agorodd y Ffrancwyr warws Panton a chynnal ocsiwn i werthu'r gwlân, y cotwm a'r sidanau a gawsant yno. Rhwng 1796 a 1801, caewyd ac ailagorwyd y *British Factory* deirgwaith, ond bu'n wannach na chynt bob tro. Dioddefodd yr aelodau golledion enbyd; collwyd 50 o'u llongau mewn un confoi anferth wrth iddo adael porthladd Gibraltar. Bu'r gymuned Brydeinig yn absennol o Livorno yn ystod y cyfnodau canlynol: Mehefin 1796 – Mai 1797; Mawrth 1799 – Gorffennaf 1799; Hydref 1800 – Hydref 1801; Mai 1803 – Mawrth 1814. (Fe arhosodd ambell deulu, ond teuluoedd oeddynt a oedd eisoes wedi derbyn dinasyddiaeth Doscanaidd.) Ni ddaeth pawb yn ôl yn 1814 ychwaith; ymsefydlasai rhai masnachwyr ym Malta. Ailgydiodd y *British Factory* yn ei waith yn 1815, ond fe'i diddymwyd yn 1825 yn sgil y Deddfau Masnachu Rhydd. O hyn allan byddai'r Conswl Prydeinig yn ysgwyddo rhai o'i gyfrifoldebau.

Ni fu'r gymuned Brydeinig mor ddylanwadol ym mywyd Livorno ar ôl y bwlch yn ei hanes a achoswyd gan Napoleon ag a fuasai pan oedd y *British Factory* yn anterth ei nerth yn y ddeunawfed ganrif.

Ond tyfodd yn wladfa sylweddol unwaith eto yn y bedwaredd ganrif ar bymtheg, ac yr oedd rôl bwysig iddi ym masnach y ddinas. Yn ei lyfr safonol ar borthladd Livorno, fe rydd Piero Innocenti restr o'r porthladdoedd ym Mhrydain y byddai llongau yn teithio'n rheolaidd rhyngddynt a Livorno tua diwedd y ganrif honno, a sylwa fod dros naw deg y cant o'r nwyddau o'r lleoedd hynny yn cael eu cludo mewn llongau Prydeinig, er bod llongau Groegaidd, Eidalaidd, Norwyaidd ac Almaenaidd weithiau yn rhannu'r gwaith. Dyma'i restr: Caerdydd, Glasgow, Llundain, Fowey, Casnewydd, Lerpwl, Manceinion, Newcastle-upon-Tyne, Sunderland, Abertawe, Hull, Bryste, Middlesborough a Plymouth. Erbyn hyn, wrth gwrs, yr oedd glo yn bwysig ymhlith y mewnforion. Yn ôl Innocenti, y prif allforion oedd cywarch a marmor, ond, fel y cawn weld yn y man, allforid llawer iawn o bethau eraill yn ogystal, yn cynnwys olew olewydd a brwyniaid William Lloyd a'i Gwmni.

Yn 1901 fe gyhoeddodd Montgomery Carmichael ei lyfr *In Tuscany*. Yn sicr, ni ellir honni taw hwn yw'r llyfr gorau ar Toscana. Ond, ymhlith yr holl gyfrolau a ysgrifennwyd ar y rhan honno o'r Eidal, mae hon yn eithriadol mewn un ffordd. Ni chewch fawr o sôn ynddi am ogoniannau Firenze a Siena, prif destunau cynifer o deithlyfrau a llyfrau hanes. Ar y llaw arall, mae Livorno yn cael mwy o sylw nag sy'n arferol mewn gweithiau o'r fath. Nid oedd hyn yn syndod: bu Carmichael yn ddirprwy-gonswl yno am flynyddoedd maith, ac yr oedd yn gwybod llawer mwy am fywyd y lle nag a wyddai am weddill Toscana. Mae'r disgrifiadau a rydd o Livorno yn portreadu'r ddinas fel yr oedd pan fu William a Robert Lloyd yn byw yno a phan oedd eu cwmni nhw yn un o fusnesau'r ddinas.

Fel y gellid disgwyl, un o'r pethau a wnaeth argraff ddofn ar Carmichael oedd yr arwyddion o oddefgarwch crefyddol yng nghymdeithas gosmopolitaidd Livorno:

> The best index to the cosmopolitan character of the city is a list of its churches. There is an English church, of course, and a Scotch Free Kirk and a Sailors' Bethel, a Waldensian Conventicle and an Italian Ebenezer, a Dutch Church (for Germans, Swiss, Scandinavians and Huguenots), a Greek Uniat Church and a Greek Orthodox Church, an Armenian Uniat Church, a Maronite Chapel, and a monster Synagogue, one of the largest in the world. Nay even the Salvation Army has found its way to Leghorn, and at first startled the local

police by offering for sale in the streets an Italian paper with the fear-inspiring title of "Il Grido di Guerra!"

Yn ogystal, yr oedd nifer o eglwysi Catholig hardd ar gyfer y mwyafrif o'r Eidalwyr; ceir sôn amdanynt hwy ar dudalennau eraill o'i lyfr.

Testun arall o ddiddordeb i Carmichael, yn naturiol, oedd prysurdeb y porthladd, prysurdeb y bu ef yn rhinwedd ei swydd yn rhan ohono am flynyddoedd. Oherwydd hynny, efallai, fe ysbrydolodd un o'i baragraffau mwyaf bywus, a defnyddio un o eiriau William Lloyd:

> What a heap of things come into Leghorn in the course of the year: Coal from Scotland, Wales, and the Tyne, for use chiefly by the railways and the gas companies. There are but six cities in all Tuscany that have gas – Florence, Leghorn, Pisa, Lucca, Siena, and Prato. Artistic Pistoia, lordly Volterra, and ancient Arezzo are content with oil lamps, but some tiny towns and big villages are far ahead of them all and have electric light. Then there is Sulphate of Copper for the sickly vines; dried cod from Newfoundland for the observant of Lent; Tobacco from Kentucky for manufacture into cigars by a paternal Government; Whisky for the travelling Scot and Saxon; Carbonate of Soda; Coffee; Cotton; Hides; Scrap Iron; Jute; Petroleum; Wheat; Wool – and all in great quantities. And what a heap of things leave Leghorn: Boracic Acid for Lord Lister's antiseptic treatment; Briar-root for conversion into G.B.D.'s; Candied Citron for the Dutch and the Scandinavians who know not how to candy; Coral to adorn the ladies of Nepal and savage Africa; Hemp from Ferrara for twisting in Chatham and Portsmouth Dockyards; Hides from the great white oxen of the Val d'Arno for London Harness; Marble from Carrara for the English dead; the Mercury of Monte Amiata for the gold mines of the Transvaal; Olive oil for Crosse and Blackwell and the Widow Lazenby; Orris Root from Florence and Verona, without which Rimmel and Atkinson, and all the perfume-makers of Grasse would be helpless; Pumice-stone for the Monkey Brand Soap; Rags for the manufacture of newspapers; Straw hats and Tuscan bonnets called "Leghorn", but which are made fifty miles up the Arno at Signa; Soap compounded of the refuse of pressed olives, which is eagerly sought for on the Spanish Main; Siena earths and ochres which come – things go by contraries in Tuscany – not from Siena but from the province of Grosseto, and go home to make beautiful the walls of the Academy and the New Gallery. And all these things, too, in great quantities.

Yr oedd y ddinas yr ymfudodd William Lloyd iddi yn un hynod o fywiog felly, ac yr oedd ef, fel y cawn weld, yn ddigon sensitif a deallus i allu dod yn fuan iawn i werthfawrogi agweddau o'r diwylliant Eidalaidd a geid yno ochr yn ochr â'r gymdeithas gosmopolitaidd o estroniaid diddorol. Ond yr oedd rhywbeth arall a fuasai wedi bod yn gymhelliad iddo wrth iddo benderfynu mudo. Prin y gallasai deimlo'n ddieithr yno. Nid yn unig yr oedd llongau o Gymru ac o Lerpwl yn y porthladd yn gyson, ond hefyd *yr oedd Llwydiaid eraill eisoes yn Livorno*. Mynd allan yr oedd i weithio yn un o swyddfeydd Thomas Lloyd a'i Gwmni. Ond pwy oedd Thomas Lloyd? Yn amlwg, mae'n bryd inni agor pennod arall.

Y LLWYDIAID YN LIVORNO

Os ewch i Livorno heddiw, fe welwch fod parc dymunol yno a adwaenir fel *Parco di Villa Lloyd.* Yn ei ganol saif tŷ crand lle bu teulu Thomas Lloyd unwaith yn byw; hwnnw bellach yw canolfan Clwb Tennis Livorno. Ond bu'r teulu wedi hynny, o 1860 i 1881, yn byw mewn tŷ mwy ardderchog hyd yn oed, eto mewn parc helaeth a hyfryd. Gwerthwyd hwnnw i deulu arall, y Fabbricotti, ac fe'i cysylltir bellach ag enw'r teulu hwnnw. Erbyn hyn, mae'n lle hyfryd o dawel i ddarllen ynddo; yn y *Villa Fabbricotti* mae'r *Biblioteca Civica*, y Llyfrgell Ddinesig. Bu dau Thomas Lloyd yn y tai hyn. Cyrhaeddodd y cyntaf Livorno yn 1824 a bu farw yn 1867. Ganed yr ail yn fab iddo yn Livorno yn 1835. Yr oedd y Llwydiaid hyn yn dirfeddianwyr cyfoethog ac yn berchen tai mewn ardal ddymunol iawn o Livorno, sef Ardenza.

Mae'n rhaid imi ddweud fy mod wedi teimlo, pan ddechreuais astudio'r Llwydiaid hyn, fy mod wedi dod ar draws stori heb ben na chwt iddi. Yr oedd digon o dystiolaeth ynghylch eu pwysigrwydd masnachol a chymdeithasol yn Livorno, fel asiantiaid i gwmnïau llongau, fel tirfeddianwyr ac fel allforwyr, yn y bedwaredd ganrif ar bymtheg. Ond o ble y daethent ac i ble yr aethant oedd yn ddirgelwch.

Mewn cyfweliad (â Lucia Borghesan) a gyhoeddwyd, dywedodd Margaret Lloyd mai dynion o Hendrefigillt oedd y Llwydiaid hyn hefyd; ac mewn sgwrs â minnau barnai mai pobl o'r un cyff oeddynt o leiaf, er eu bod yn gyfoethocach o dipyn na'i changen hi o'r tylwyth. Ac yr oedd wedi clywed sôn eu bod wedi mynd i'r Alban pan adawsant Livorno, ond ni wyddai i ble. Yn ei femorandwm anghyhoeddedig ef ar hanes y teulu, fe ddywed William Lloyd (1909-1980), mab yr arlunydd, fod y Thomas Lloyd a gynigiodd swydd yn Livorno yn 1858 i William Lloyd Hendrefigillt, tad yr arlunydd, yn perthyn rywsut i'w hen dad-cu (*era in qualche modo parente del bisnonno).* Yr hen dad-cu yma yw Robert Lloyd Hendrefigillt (1801-1873). Ychwanegodd nad oedd erioed wedi gwybod sut y bu i Thomas Lloyd ('y banciwr hwn', yn ei eiriau ef) fynd yn fethiant neu, yn fwy tebygol, ddiddymu ei gwmni a gadael Livorno. Tybiai nad oedd busnes cystal efallai pan ddaethai teyrnasiad yr Arch-ddug i ben, a bod Thomas Lloyd wedi penderfynu rhoi'r gorau iddi. Bu Arthur Whellens yn astudio gyrfa'r Llwydiaid hyn yn Livorno yn ddiweddar. Fe dynnodd ef sylw at y ffaith fod yr holl eiddo tirol a gofrestrwyd yn eu henwau yn y cyfnod 1870-80 yn dangos eu bod wedi dal i ffynnu'n economaidd hyd yn oed yn eu blynyddoedd olaf yno, a bod eu safle yn nghymdeithas Livorno yn uchel. Yna dywed: 'Er gwaethaf eu safle chwenychadwy, yr unfed *(sic)* o Ebrill 1885 mae Thomas Lloyd yn ysgrifennu llythyr at Siambr Fasnach Livorno yn cyhoeddi ei fod yn diddymu Thomas Lloyd a'i Gwmni.' Sylwa ymhellach fod Thomas wedi gwerthu nid yn unig y *Villa Fabbricotti*, ond hefyd o dipyn i beth holl eiddo'r teulu yn Livorno: erbyn 1905 nid oedd dim ar ôl. Ychwanega fod 'diflaniad' teulu mor rymus, a theulu a oedd wedi ymsefydlu cystal yn Livorno, yn 'aros yn ddirgelwch'.

Tybiais y gallai cael cip ar ddogfennau yn dwyn enwau rhai o Lwydiaid Sir y Fflint yn Archifdy'r Sir fod o fudd. Ar ein diwrnod cyntaf yno digwyddais ddod ar draws dogfen gyfreithiol sy'n dangos fod 'Thomas Lloyd of Leghorn in the Kingdom of Italy' wedi trefnu yn 1860 i brynu fferm ym mhlwyf Hendrebiffa, yr Wyddgrug, cyn gynted ag y byddai un o'r perchenogion, a oedd 'of unsound mind', wedi marw. Ac yr oedd y perchenogion eraill, dau ŵr o Lwynegryn, yn awyddus i'w gwerthu iddo. Yr oedd y tir yn agos iawn i dir ystâd Llwydiaid Hafod. Ai un o Lwydiaid Hafod oedd y gŵr o Livorno, yn prynu tir yn ei hen gynefin? Soniais am y posibilrwydd hwn wrth Mr Mason, yr archifydd a oedd yn yr ystafell ar y pryd, ac fe dynnodd ef fy sylw at gasgliad o lythyrau a ysgrifennwyd o Port-au-Prince, Haiti, gan aelod arall o'r teulu hwnnw yn nhridegau'r bedwaredd ganrif ar bymtheg. Dechreuodd fy ngwraig ddarllen y rhain, neu yn hytrach y rhannau darllenadwy ohonynt, oherwydd y mae inc ambell lythyr wedi colli ei liw yn druenus, a gwelodd fod ambell gyfeiriad at bobl Hendrefigillt ynddynt, ond nad oedd eu natur yn gyfryw ag i brofi perthynas. Yn y cyfamser, euthum i ymlaen â'r gwaith o fynd trwy'r dogfennau cyfreithiol, ac yn ystod ymweliad diweddarach cefais wobr nid cwbl annisgwyl: dogfen ynghylch perchenogaeth tir a ddywedai yn eglur taw mab ac etifedd 'Thomas Lloyd of Hafod' oedd 'Thomas Lloyd of Leghorn in the Kingdom of Italy and Minard Castle, Argyllshire'. Bellach gwyddem pwy oedd Thomas Lloyd y tad, ac i ble yr aeth y mab i fyw pan adawodd yr Eidal. Y prynhawn hwnnw aethom i Hafod am gwpaned o de (ar ôl sicrhau llungopi o'r ddogfen, wrth gwrs!). Mae tŷ hyfryd y Llwydiaid erbyn hyn yn westy: *Plas Hafod Country Hotel*. Saif yn y wlad ar gyrion pentref Gwernymynydd, ryw ddwy filltir o ganol yr Wyddgrug. Cawn drafod rhesymau Thomas Lloyd, y mab, dros adael ei yrfa lwyddiannus yn Livorno pan ddown at y cyfnod hwnnw yn yr hanes. Cyn gwneud hynny, mae'n rhaid inni ofyn y cwestiwn pam yr aeth Thomas Lloyd, y tad, i Livorno yn y lle cyntaf? Wel, mynd a wnaeth, mae'n debyg, i weithio yng nghwmni rhyw John Lloyd . . .

Gwesty Plas Hafod, Gwernymynydd, Yr Wyddgrug.

Yn ôl Signora Margaret eto, bu'r John Lloyd hwn yn chwilio am gyfle i wneud ei ffortiwn ym Malta a Sicilia cyn taro ar Livorno; yn un o'r lleoedd hynny y clywodd am bosibiliadau'r ddinas yn Nhoscana. Mae hyn yn gwbl gredadwy: yn ystod yr egwyl Napoleonaidd, bu nifer o fasnachwyr Prydeinig a orfodwyd i ddianc o'r porthladd rhydd yn byw am gyfnod ym Malta, a dychwelodd y rhan fwyaf ohonynt i Livorno yn 1814-5. Ni wyddom pryd y cyrhaeddodd John Lloyd. Yn ôl Arthur Whellens, a fu'n ymchwilio i yrfa John a Thomas Lloyd yn Livorno, ceir cyfeiriad ato, fel Giovanni Loid, yn 1816, ac yn 1817 yr oedd yn ddigon cyfoethog i dalu trethi sylweddol. Erbyn 1825 yr oedd yn Llywydd Siambr Fasnach Livorno. Ond y mae un posibilrwydd arall na ddylem ei esgeuluso, sef bod John Lloyd yn ei dro yn gwybod rhywbeth am Livorno am fod rhywrai yn ei dylwyth ef ei hun eisoes wedi bod yno. Claddwyd pedwar Lloyd yn yr hen fynwent Brydeinig yn Livorno: Peter, yn bump oed, yn 1716; James, yn bump oed, yn 1717; Elizabeth, yn chwe mis, yn 1736; a Thomas, yn 44 yn 1745. Ac yn y fynwent a ddefnyddiwyd ar ôl 1840, claddwyd, yn ôl H. A. Hayward, un ar bymtheg ohonynt. Yn 1824 yr aeth Thomas Lloyd i Livorno i weithio gyda John. Yn ôl Margaret Lloyd eto, yr oedd Thomas yn gefnder i John ond yn iau o dipyn. Hyd yn hyn, ni wyddom ddim am dras John. Ond sylwaf fod Whellens yn nodi bod llong o Lerpwl a ddaeth â chargo i John Lloyd yn 1827 yn cludo 345 ingot o blwm. I mi y mae hynny'n awgrymu cysylltiad posibl â'r wlad o amgylch Mynydd Helygain. Dyrchafwyd Thomas yn bartner yn 1830, a newidiwyd enw'r cwmni i John a Thomas Lloyd. Yn 1830 hefyd bu achos cyfreithiol rhwng John Lloyd ar y naill law a Lardarel, La Motte ac eraill ar y llaw arall: cwynai John Lloyd am ansawdd gwael llwyth o asid borasig a werthasid iddo. Er gwaethaf hyn, ymddengys fod y Llwydiaid wedi hynny wedi cydweithio â Lardarel i allforio asid borasig. Yn 1842 dychwelodd John Lloyd i Brydain i ofalu am y busnes yn Manceinion a Lerpwl. O hynny ymlaen adwaenid y cwmni yn Livorno fel Thomas Lloyd a'i Gwmni.

Ym mis Rhagfyr 1835 ganesid mab i Thomas Lloyd, a'i enwi ef yn ei dro yn Thomas. Dilynodd ei dad fel pennaeth y cwmni pan fu farw Thomas Lloyd yr hynaf yn 1867. Daethai nai i Thomas Lloyd yr hynaf, sef Edward Lloyd, i Livorno i weithio yn 1835, pan oedd yn bymtheg oed. Gwnaethpwyd ef yn bartner yn 1847, ond aeth pethau'n ddrwg rhyngddo ef a'i ewythr, a buont yn cyfreithia yn erbyn ei gilydd. Ceisiwyd setlo'r anghydfod yn 1857, pryd y cytunodd y partneriaid i ymwahanu: o hynny ymlaen byddai Edward yn gofalu am y busnes yn Llundain ac yn ymatal rhag ymyrryd yn Livorno, ac yr oedd i dderbyn chwarter o'r elw a ddeilliai o allforio asid borasig. Arweiniodd hyn yn fuan at ffraeo pellach ynghylch y modd y byddai Thomas Lloyd yn cadw'r cyfrifon. Gwnaeth Arthur Whellens ymchwil i'r achos cyfreithiol hwn hefyd, achos a barhaodd am flynyddoedd, ond ni lwyddodd i wybod sut ddiwedd fu iddo, neu a ddaeth i ben o gwbl cyn marwolaeth Thomas Lloyd y tad.

Dichon i William Lloyd Hendrefigillt gael ei benodi yn 1858 i lanw'r bwlch a adawyd pan ymadawodd Edward yn 1857. Ymhen pum mlynedd yr oedd yntau'n ymadael i sefydlu ei gwmni ei hun. A oedd ef, fel Edward, wedi cael Thomas Lloyd yr hynaf yn ŵr anodd dygymod ag ef? Neu a oedd wedi sylweddoli ei fod ef, William, a Thomas Lloyd y mab yn agos iawn o ran oedran (ganed y ddau yn 1835) ac nad oedd gan William felly fawr o obaith o ddod yn bennaeth ar y cwmni yn ei dro? Bid a fo am hynny, byddai wedi cael profiad gwerthfawr yn swyddfeydd Thomas Lloyd. Bu gan hwnnw fys mewn llawer brywes yn Livorno, yn cynnwys bancio. Noda Umberto Ascani fod cwmni John a Thomas Lloyd wedi mentro i fyd asiantaethau llongau yn 1837 a bod y cwmni, ar ôl ymadawiad John, wedi bod, dan yr enw Thomas Lloyd a'i Gwmni, yn flaenllaw ym mhorthladd Livorno.

Yn ôl ei ŵyr, fe ddysgodd William Lloyd Eidaleg yn gyflym iawn, ac fe ddaeth yn fuan iawn yn edmygydd o ddiwylliant yr Eidal. Fe'i swynwyd yn arbennig gan ei cherddoriaeth, a chyn gynted â mis Ebrill 1861 yr oedd yn sôn, mewn llythyr at ei chwaer Margaret, am gael beirdd o Gymru i ysgrifennu geiriau Cymraeg ar gyfer peth o'r gerddoriaeth Eidalaidd a apeliai ato:

> From Hendre the imported production of Italy may possibly extend over the whole of Wales, sung to Welsh words, the creation of some man inspired by the divine *awen*, so common in our country, as well as in this. I have often thought there is in this respect some resemblance between Wales and Italy. The character of the two peoples is also not very dissimilar, both have boisterous passions and unruly tempers, the inhabitants of the latter country are certainly more polished and enlightened, the natural effects of thousands of years of civilization.

Yn ei fusnes ni cheisiodd gystadlu yn erbyn Llwydiaid Hafod. Yn ogystal â bod yn fancwyr ac yn asiantiaid i gwmnïau llongau, yr oeddynt hwy yn allforwyr marmor ac asid borasig. Dewisodd William allforio pethau pur wahanol: olew olewydd a brwyniaid wedi eu halltu. Sylweddolodd yn fuan y byddai arno angen partner y gallai ymddiried ynddo, rhywun a allai ofalu am y cwmni yn Livorno tra byddai William yn teithio ym Mhrydain i chwilio am gwsmeriaid. Gwahoddodd ei frawd Robert i ymuno ag ef. Dichon fod hyn oll wedi ei drafod yn drylwyr yn Hendrefigillt pan sefydlwyd cwmni William:

anfonwyd Robert i Lundain am addysg bellach cyn iddo ymadael. Ond chwarae teg i Lwydiaid Hendrefigillt. Megis yr ymddiddorodd William nid yn unig ym mywyd masnachol Livorno, ond hefyd yn niwylliant y wlad, felly hefyd yr ysgrifennodd Maria ei fam at Robert i'w annog ef i feddwl nid yn unig am ymbaratoi ar gyfer y byd materol, ond ar gyfer rhywbeth y tu hwnt i hwnnw. Y gwahaniaeth rhwng William a Maria oedd bod Maria'n meddwl nid am fyd y celfyddydau, eithr am fyd crefydd. Ond nid dyna'r unig fath o lythyr a ysgrifennai Maria. Gallai hefyd sôn am bleserau ei bywyd cymdeithasol.

Pan ddaeth yn bryd i Robert fynd i Livorno yn 1865, fe'i hebryngwyd i Lerpwl gan ei dad. Bu'r llong a'i cludai yn Sicilia a Genova cyn mynd i Livorno. Fe ysgrifennodd William Lloyd o Livorno at ei frawd yn Genova. Awgryma ei lythyr fod William yn teimlo'n gyfrifol am y ffaith fod ei frawd bach ym mhorthladd Genova a'i fod yn benderfynol o wneud popeth a allai i'w gadw'n ddiogel; prin ddeunaw oed oedd Robert ar y pryd. Y tro hwn Cymraeg yw iaith ei lythyr. Os cymharwn y llythyr â'r dyfyniad a roddwyd uchod o'i lythyr at ei chwaer, gwelwn nad oedd ysgrifennu Cymraeg mor hawdd iddo â chyfansoddi yn Saesneg, iaith a ddefnyddiai'n feunyddiol wrth ei waith, ac y mae rhai manion ieithyddol yn bradychu hynny (fel *y bod ti*, ac yn y blaen). Ond mae'r ymdrech a wna i gyfansoddi yn Gymraeg ynddo'i hun yn arwyddocaol, a gellir gweld ei fod yn awyddus i'w lythyr fod mor drwyadl Gymraeg ag sy'n bosibl. Yn wir, mae weithiau'n mynd braidd yn bell er mwyn osgoi geiriau benthyg; hyd y gwn, ef yw'r unig awdur sy'n cyfieithu Livorno i'r Gymraeg!

Liforn 11 Hydref 1865

Anwyl Robin

Derbyni y llythyr presenol ar dy ddyfodiad yn Genoa o ddwylaw y Meistri Santa Maria & Lertora. Gobeithiaf y bod ti wedi cael mordaith lwyddiannus a chysurus, ac y bod ti hefyd yn iach ac yn fywys. Rhodda y llythyr arweinyddol a anfonais iti i'r boneddigion crybwylledig oddi uchod, gwnant yn ddiamau ddangos i ti y dref a byddant o bob gwasanaeth i ti yn Genoa. Ysgrifena attof heb oedi munyd y diwrnod y cyrhaeddir Genoa, a dywed i mi pryd y meddylir y gadawith y 'Morocco' am y porth yma. Pan y doi yma, na adawa y llong hyd oni ddyfodaf i ar fwrdd y llong i'th gyfarfod. Cofia hefyd ysgrifenu attof pob diwrnod drwy ['r cyfnod] y byddi yn Genoa. Mae ganddot ddyliwn i ddigon o arian i dalu am bopeth angenrheidiol, ond os wyt heb arian, yr wyf yn ysgrifenu at y Meistri Santa Maria a Lertora yw roddi i ti. Ond paid a gofyn am ddim, os oes ganddot arian prydeinig gyda ti ond yn hytrach newid hwnnw i arian Eidalaidd, yn ôl fel y bydd eisiau; na newidia y cwbl ar unwaith.

Pan y byddi yn sicr bod y 'Morocco' yn barod i gychwyn, a bod y tân wedi ei gynu oddidan y peiriant a mwg yn tarddu o'r simnai, gyra attof Neges Trydannol efo'r Pellebyr, gan gyfarwyddo fel hyn

William Lloyd
12 Via Borra
Livorno

gofyna i rhyw un ei hysgrifenu i ti yn yr Eidalaeg, a sylwa na raid i'r Neges gynwys ond 20 gair gan gyfrif y cyfarwyddiad ynghyd a'r tàn-enw, ac ni chostia ond Ffranc, hyny yw, 10 ceiniog. Paid a gyru y Neges os nad wyt yn sicr y bydd y llong yn gadael, ac weithiau dywedant y cychwynant ond yn y diwedd na wnant yn aml. Y ffordd oreu iti ymddwyn fydd fel hyn, mae hogyn o Sais yn Swyddfa Santa Maria a Lertora, gwna gyfaill o hono, a phan y credi y bydd y llong yn cychwyn, erfyna iddo ef ddyfod efo ti ar y llong, a phan y gweli yn sicr y bydd y llong yn gadael, gofyna iddo wneid y gymwynas i fynd efo'r Neges ar papur i Swyddfa y Pellebyr Trydannol, ond cofia roddi iddo yr arian angenrheidiol i dalu am dani.

Trwy y diwrnodau yr arhosa yr Agerlong yn Genoa, gwell fydd i ti gysgu ynddi, bydd yn well na myned i gysgu yn y dref.

Cefais lythyr oddiwrth Sara wedi ei ddyddio y 3 presenol yn dyweyd y bod ti efo Nhad wedi myned i Lerpwl y noswaith o'r blaen a bod y llong yn gadael y 3; ac yr oedd Sara yn sylwi y bod Mam yn bur awyddus i glywed y bod ti wedi cyrhaedd Liforn yn ddiogel efo fi.

Gan ddymuno dy weled yn fuan yn hollol iach.

Dy Serchog Frawd

Wilym.

Ymhen pum mlynedd yr oedd William wedi priodi. Y briodferch oedd Luisa Bianchini, merch i Teodoro Bianchini a'i wraig Sofia Calani. Pobl ddŵad oedd y Bianchini yn Livorno, fel y Llwydiaid, newydd-ddyfodiad o Canton Ticino yn y Swistir. Ganed Idris, yr hynaf o blant William a Luisa, yn 1871. Fe'i dilynwyd gan Emrys ac Emery, efeilliaid, yn 1872, Robert yn 1874, Elyn Margaret yn 1876,

Gwendolen yn 1877, a Llewelyn yn 1879, yn ogystal ag efeilliaid marw-anedig rywbryd wedi hynny. Bu Emrys, Emery, Robert ac Elyn farw yn fuan ar ôl eu geni, gan adael Idris, Gwendolen a Llewelyn. O'r rhain, bu Gwendolen farw yn ugain oed yn 1897. Ei henw hi y byddai Llewelyn, yr arlunydd, yn ei ddewis ar gyfer ei unig ferch ef.

Ymwelai William yn gyson â Phrydain, a daeth olew olewydd William Lloyd a'i Gwmni yn adnabyddus yng Nghymru. Ond bu William yn ddigon anffodus i gael llid ar yr ysgyfaint yn ystod un o'i deithiau i weld ei gwsmeriaid, a bu farw yn nhŷ ei fam a'i chwaer, Rhyd Alun, Rhydymwyn, Cilcain, ddydd Calan Mai, 1884; fe'i claddwyd wythnos wedi hynny yn eglwys Helygain. Yr oedd ei frawd Robert wedi addo, pe digwyddai rhywbeth o'r fath, y byddai ef yn gofalu am y teulu yn ogystal â rhedeg y busnes. Bu ei gyfrifoldeb yn fawr, oherwydd bu Luisa Bianchini hithau farw'n gymharol ifanc.

Yn ôl William Lloyd, mab Llewelyn, bu Robert Lloyd yn eithriadol o gydwybodol yn ei ofal am blant ei frawd. Dyna'r prif reswm, efallai, pam na phriododd a dechrau magu ei deulu ei hun nes ei fod yn agos i drigain oed. Eto i gyd, ar ôl priodi Argia Maria Rocchi, gwraig o gefn gwlad Toscana, cafodd yntau bedwar o blant: Roberta, Edward, Margaret a Mary. Bu farw Roberta yn blentyn, ond y mae gan y lleill ddisgynyddion yn yr Eidal a Lloegr.

Robert Lloyd Hendrefigillt, ond odid, yw cymeriad mwyaf arwrol y stori hon, asgwrn cefn y busnes a'r ddau deulu a fu'n dibynnu arno, o 1884 tan ei farwolaeth yn 1923. Pwysleisia William ei gywirdeb llwyr yn ei ymwneud â'r teulu a'r busnes fel ei gilydd, ac mae'r hyn a ddywed William a Margaret, merch Robert, amdano yn awgrymu iddo fod nid yn unig yn ddisgyblwr da, ond hefyd yn ŵr hynod o garedig. Ymddengys fod ganddo syniadau, ac weithiau ragfarnau, pendant iawn. Yr oedd ganddo feddwl mawr o Ladin a Groeg ac o'r diwylliant a oedd yn gysylltiedig â'r ddwy iaith hynny a'r Eidaleg, a dylanwadai hyn yn drwm ar ei syniadau am addysg. Mynnai hefyd fod y ddau deulu yn ymddwyn yn waraidd wrth y ford, ac ni dderbyniai wahoddiadau oddi wrth ddynion na fyddai, yn ei farn ef, yn gwybod sut i fwyta; tueddai i gollfarnu Americanwyr oherwydd hyn. Yn ôl William, yr oedd yn hoff iawn o fwyd da a gwinoedd Toscana, a byddai ef ac Idris yn neilltuo ambell noswaith i'w mwynhau yng nghwmni eu cyfeillion, yn eu plith gapteiniaid llongau a fyddai'n galw yn Livorno. Yn ei ieuenctid, bu'n nodedig am ei harddwch corfforol *(un bellissimo uomo, alto, biondo, elegante,* yng ngeiriau William). Dywedodd ei ferch Margaret wrthyf y byddai hi'n edrych ymlaen bob amser at bryd o fwyd yn ei gwmni, am ei fod yn ymgomiwr mor ddifyr, a byddai ganddo yn aml iawn ryw hanes hynod o ddoniol am y cymeriadau a welsai yn y porthladd. Yr oedd ganddo lais canu da, a mynnodd ddod ag organ o Gymru am ei fod yn dymuno cael yr organ arbennig honno ar gyfer y canu a arweiniai yn ei gartref bob nos Sul. Pan oeddwn yn nhŷ Dr Cricchio yn Livorno, dangoswyd imi lyfr yr oedd Robert yn ei ddarllen yn gyson tua diwedd ei oes: copi oedd o'r *Myvyrian Archaiology of Wales*; yr oedd ei ddiwylliant eang yn cynnwys diddordeb yn llenyddiaeth gynnar ei wlad ei hun.

Bu busnes y teulu, a gadwodd yr enw William Lloyd a'i Gwmni, yn llwyddiant trwy gydol llywyddiaeth Robert, a dywed William fod y Llwydiaid yn Livorno wedi cael bywyd eithaf cysurus o safbwynt economaidd yn ei gysgod ef. Yn sicr, siomwyd Robert pan wrthododd Llewelyn ymuno â'r busnes a sefydlwyd gan ei dad. Eto i gyd, trefnodd i Llewelyn dderbyn cyflog anrhydeddus o'r busnes er mwyn sicrhau bywyd cysurus iddo yn ystod ei flynyddoedd cynnar fel arlunydd. Bu ei nai arall, Idris, yn ddigon parod i weithio gyda Robert, ac fe'i gwnaethpwyd yn bartner yn ifanc. Bu'n ergyd drom i Robert pan fu Idris farw yn 1914 yn 43 oed. Yr oedd yntau wedi priodi yn Livorno, a ganesid dwy ferch i'w wraig Aurora. Bu'r ddwy farw yn ifanc; nid oes felly ddisgynyddion i Idris yn yr Eidal. Parhaodd Robert wrth y llyw tan ei farwolaeth yn 1923; fe'i dilynwyd gan ei fab Edward.

Yr oedd cryn barch i'r Llwydiaid yn eu cynefin yn Livorno. Barn Signora Margaret yw nad oedd hyn ddim bob amser yn fendith o safbwynt y plant. Pan ddaeth yn amser iddi hi fynd i'r ysgol, fe'i hanfonwyd yn gyntaf i ysgol breifat lle'r oedd yr athrawesau yn lleianod. Byddai un o'r lleianod hyn yn treulio llawer o'r gwersi yn lladd ar Brotestaniaid, gan ddweud wrth y dosbarth taw pobl ddrwg oeddynt a oedd yn siŵr o fynd ar eu pennau i uffern. Poenai hyn Margaret yn fawr, gan ei bod yn gwybod taw Protestant oedd ei thad. O'r diwedd, darbwyllodd Robert i'w hanfon i ysgol arall, un o ysgolion y wladwriaeth. Yno, fe'i rhoddwyd mewn cadair arbennig yn y cornel. Byddai'r athrawon yn defnyddio'r ail berson unigol, *tu*, wrth siarad â'r plant eraill, ond yn dangos eu parch drwy ddefnyddio'r trydydd person, *Lei*, pan siaradent â Margaret Lloyd. Fe'u hefelychwyd yn hyn o beth gan y plant, nes i Margaret druan fynd i deimlo bod yr holl barch a amlygid tuag ati yn cadw pawb hyd braich oddi wrthi. Bu'n rhaid iddi ofyn i'w ffrindiau newydd alw 'ti' arni, ac fe aeth blynyddoedd heibio cyn i bawb yn y dosbarth ei thrin fel pob plentyn arall.

Yn y cyfamser, beth a ddigwyddodd i deulu Thomas Lloyd, Hafod a Chefn Mawr, y teulu a fu mor llwyddiannus yn Livorno fel y soniwyd am eu 'diflaniad' fel 'dirgelwch'?

Er mwyn deall eu hanes hwy, y mae gofyn inni fynd yn ôl i ddiwedd y ddeunawfed ganrif yn yr Alban ac at deulu John Campbell, tirfeddiannwr yn Argyll. Knockbuy oedd enw ei ystâd (llygriad, mae'n debyg, o *Cnoc Buidhe*, sef Bryn Melyn) a Knockbuy House ei gartref cyndeidiol. Yn 1798 etifeddodd John Campbell ystâd arall a fuasai ym meddiant cefnder iddo, sef Kilberry, a'r tŷ, Kilberry Castle.

Castell Minard.

Pan fu farw, gadawodd y ddwy ystâd i'w fab hynaf, ond gyda'r gorchymyn ei fod ef i ddarparu ar gyfer ei bum brawd a phedair chwaer yn ogystal ag ar gyfer y weddw. Penderfynodd John Campbell II mai'r unig ffordd y gallai wneud hyn yn deilwng oedd drwy werthu un o'r ddwy ystâd. Gan fod Kilberry yn entaeliedig, yr unig bosibilrwydd, heb fynd i'r llysoedd, oedd gwerthu Knockbuy, a mynd i fyw ei hun yn barhaol yn Kilberry. Fe wnaeth hynny, er iddo yn gyntaf orfod gwario cryn dipyn i ailadeiladu rhannau o Gastell Kilberry a gafodd ei ddifrodi gan dân yn 1772.

Yn y blynyddoedd rhwng 1831 a 1874 bu tri pherchennog yn Knockbuy. Fe helaethwyd y tŷ a'i ailadeiladu ar ffurf castell Gothig, a newidiwyd yr enw i Minard Castle.

Ar ôl marwolaeth John Campbell II, fe aeth ei weddw a'i merched i'r Eidal i fyw yn nhŷ ei brawd, Alexander MacBean, yn Livorno. Syrthiodd Thomas Lloyd y mab mewn cariad â'r ail ferch, sef Anne Campbell, ac fe'u priodwyd yn Livorno yn Hydref 1863. Ar y pryd, yr oedd brawd y briodferch, John Campbell III, yn swyddog yn y fyddin yn India. Pan ddychwelodd, fe gwympodd ef mewn cariad â Margaret Lloyd, chwaer ei frawd-yng-nghyfraith. Fe'u priodwyd yn 1870, ac fe aethant i fyw yn eu castell yn Kilberry, lle bu John yn byw bywyd nid anarferol i *laird* o'r cyfnod hwnnw fel Dirprwy Raglaw ac Ynad Heddwch. Teimlai Thomas Lloyd ac Anne ei wraig y byddent hwythau hefyd yn hoffi byw yn Ucheldiroedd yr Alban, a gofynasant i 'Iain a Maggie' chwilio am dŷ iddynt. Erbyn hynny, yr oedd perchennog diweddaraf Castell Minard wedi mynd yn fethdalwr a'r ystâd ar y farchnad. Sylweddolodd Thomas Lloyd y gallai brynu hen ystâd deuluol y Campbell yn ôl iddo ef a'i briod. Gwnaeth hynny yn 1876, er iddo gadw cartref yng Nghymru (Neuadd Cefn Mawr, Gwernymynydd) ac am gyfnod un yn Livorno hefyd. Wedi ymwadu â'i fusnes yn Livorno, bu Thomas Lloyd yntau yn byw bywyd nodweddiadol o dirfeddiannwr ar lannau Lochfyne, a bu, fel ei frawd-yng-nghyfraith, yn Ddirprwy Raglaw ac Ynad Heddwch yn Argyll. Bu farw yn 1905 a'i weddw yn 1916. Nid anghofiodd fyth ei gysylltiadau â Chymru, ac fe'i claddwyd ef ac Anne ei wraig ym mynwent Gwernaffield, yn agos at hen gartrefi ei deulu, Hafod a Chefn Mawr. Yn yr eglwys yno ceir cerflun marmor a luniwyd yn yr Eidal yn 1848 ac oddi tano y geiriau hyn:

THIS MONUMENT WAS ORIGINALLY EXECUTED
IN MEMORY OF JOHN AND JANE CHILDREN OF
THOMAS LLOYD OF LEGHORN
THEY DIED ON 23rd AND 25th SEPTEMBER 1842
IT IS NOW PLACED IN THIS CHURCH
TO THE GLORY OF GOD
AND SACRED TO THE DEAR MEMORY OF
THOMAS LLOYD HIS SON
BORN DECEMBER 3rd 1835 DIED JULY 8th 1905
BY HIS CHILDREN
WHERE LOYAL HEARTS AND TRUE
STAND EVER IN THE LIGHT,
ALL RAPTURE THROUGH AND THROUGH
IN GOD'S MOST HOLY SIGHT
NOVEMBER 1905
ALSO IN EVER LOVING MEMORY OF
ANNE, WIFE OF THOMAS LLOYD
BORN JUNE 17th 1845, DIED APRIL 9th 1916

Yn ymyl y cerflun hwn, ar bared yr eglwys, gosodwyd plàc er cof am un o feibion Thomas ac Anne, sef Walter Lloyd, capten yn y Ffiwsilwyr Brenhinol Cymreig, a laddwyd yn Gallipoli yn 1915.

Neuadd Cefn Mawr.

Goroesodd y mab hynaf, Thomas Owen Lloyd, cyn-is-gyrnol yn y Black Watch, a bu, fel ei dad, yn byw yn Minard ac yn Ddirprwy Raglaw ac Ynad Heddwch yn Argyll. Bu'r teulu ym Minard tan 1945; mae'r disgynyddion bellach yn byw yn Llundain.

Bu gan John Campbell a Margaret Lloyd hefyd fab, John Campbell yn ei dro, a Dirprwy Raglaw ac Ynad Heddwch hefyd yn ei dro. Merch iddo ef ac wyres i Margaret Lloyd yw'r awdures Sgotaidd adnabyddus, Marion Campbell of Kilberry. Ar ôl imi ddarganfod taw mab Thomas Lloyd Hafod a Chefn Mawr oedd Thomas Lloyd Castell Minard, bûm yn ei phoeni am fanylion pellach. Ni'm siomwyd, ac yr wyf yn ddyledus iddi am y rhan fwyaf o'r ffeithiau yn y paragraffau hyn ar John a Margaret Campbell a Thomas ac Anne Lloyd. Marion Campbell oedd perchennog Castell Kilberry o 1938 tan 1990. Yn y flwyddyn honno fe'i cyflwynodd i gefnder iddi, yr etifedd nesaf, ac ef sy'n byw yno ar hyn o bryd. Ei enw yntau yw John Campbell.

Cofadail yn eglwys Gwernaffield.

ARLUNYDD

Yn 1876 yn Via Paoli, nid nepell o ganol Livorno, fe aned bachgen a oedd i dyfu'n arlunydd enwog. Ei enw oedd Oscar Ghiglia. Yn yr un stryd, yr ochr draw i'r heol, ar 30 Awst, 1879, ganed un a ddaeth yn gyfaill iddo, sef Llewelyn Lloyd. Collodd Oscar ei dad yn gynnar iawn, a dioddefodd y weddw a'r plant flynyddoedd o dlodi. Bu'n rhaid i Oscar adael yr ysgol yn ddeuddeg oed i weithio mewn ffowndri. Yno torrodd ei iechyd. Ar ôl cael adferiad, bu'n teithio'n feunyddiol i farchnadoedd lleol i werthu ffrwythau, yn gyntaf fel gwas i fasnachwr arall, wedyn ar ei liwt ei hun. Tybir taw yng nghysgod Llewelyn y llwyddodd i fynd weithiau i'r ysgol i arlunwyr a gynhelid yn Livorno gan Micheli, ysgol y bu Lloyd yn ei mynychu'n rheolaidd. Bu'n rhaid i Ghiglia ddangos penderfyniad a chadernid anarferol cyn llwyddo i ganolbwyntio ar ei ddewis waith, sef paentio; ond, wedi bod yn ddisgybl i Fattori yn Firenze, cafodd yrfa ddisglair. Collodd Llewelyn Lloyd ei dad yn gynnar iawn hefyd. Yr oedd ei deulu ef yn fwy cefnog o dipyn na theulu Ghiglia, ond bu cryn bwysau arno i ymwadu â'i uchelgais i fod yn artist ac i gyfrannu yn ei dro, fel ei ewythr a'i frawd Idris, i lwyddiant economaidd y busnes a sefydlwyd gan ei dad. Yn ddiamau, bu'r cyfeillgarwch rhwng Lloyd a Ghiglia yn gymorth i'r ddau i beidio â chyfaddawdu ynglŷn â'u galwedigaaeth, ac ar adegau bu gyrfa ei gyfaill yn esiampl ac yn ysbardun i'r naill a'r llall.

Ceir rhyw syniad o'r berthynas hapus rhyngddynt yn y ffordd y mae Lloyd yn *Tempi andati* yn sôn am un o bortreadau llwyddiannus Ghiglia. Yr oedd Llewelyn wedi galw i weld Oscar ar ddiwrnod oer iawn yn y gaeaf. Eisteddodd heb dynnu ei gap a'i got fawr. Syllodd Ghiglia arno am ennyd. Yna holodd a deimlai Lloyd y gallai ddal i eistedd, fel yr oedd, yn gwbl lonydd tan ddiwedd y dydd. Atebodd Llewelyn ei fod yn sicr y gallai. Ychwanega: 'Yr oedd tua naw o'r gloch y bore; aeth canol dydd heibio heb inni fwyta a heb i mi droi blewyn. Am bedwar yn y prynhawn, a'r golau'n gwaethygu, yr oedd wedi gorffen y llun. Yr oedd, ac y mae, yn gampwaith.' Ond yn 1907 y bu hynny, pan oedd y ddau wedi ymsefydlu fel arlunwyr: yr oedd ganddynt ffordd hir i'w thramwyo cyn hynny.

Llewelyn oedd y cyntaf o Lwydiaid Hendrefigillt i ddwyn yr enw. Fel y gwelsom, buasai ei gyndeidiau yn y gorffennol yn cadw at nifer cyfyngedig iawn o enwau bedydd, fel William, Robert ac Edward. Nid anghofiwyd y traddodiad hwnnw yn gyfan gwbl hyd yn oed y tro hwn. Pan fedyddiwyd y baban newydd ym mis Medi 1879, rhoddwyd iddo'r enwau Llewelyn Edoardo Guglielmo, enwau a'i cysylltai ar yr un pryd â'i dylwyth yng Nghymru ac â'r wlad lle y'i ganed. Llewelyn oedd yr unig enw bedydd a ddefnyddiai, fel y gellir gweld yn y llofnod ar ei baentiadau. Yr oedd yn hynod o falch ohono, mae'n debyg. Yn y sgwrs gyntaf a gefais gyda'i fab, y pensaer Dr Roberto Lloyd, bu'n rhaid imi o dro i dro ailadrodd yr enw Llewelyn am fod Roberto, ac yntau erbyn hynny dros ei bedwar ugain, yn cael cymaint o bleser o'i glywed yn cael ei seinio fel y byddai ei dad yn ei ddweud. 'Nid felly,' meddai, 'y mae'n swnio heddiw yn Via Llewelyn Lloyd yn Livorno nac ar yr heol a enwyd ar ei ôl ar Ynys Elba.'

Nid oedd Llewelyn wedi cyrraedd ei bumed pen-blwydd pan fu farw ei dad, William Lloyd Hendrefigillt, yn Rhydymwyn. Ar y pryd yr oedd ei frawd Idris yn dair ar ddeg oed ac yn mynychu ysgol yng Nghymru. Cyn gynted ag y gorffennodd ei addysg ffurfiol yno, ymunodd Idris â'i ewythr Robert yn y busnes yn Livorno. Disgwylid i'w frawd ei ddilyn. Ond bu plentyndod Llewelyn yn dra gwahanol i blentyndod Idris. Yr oedd eu hewythr Robert yn ddibriod ar y pryd, a phan ddaeth Idris yn ôl i'r Eidal i weithio gydag ef, cafodd hefyd y fraint am rai blynyddoedd o ymuno yn ei bleserau yn Livorno; cyn i'r ddau briodi buont yn debycach i frodyr nag i ewythr a nai. Yr oedd Llewelyn yn iau o dipyn. Treuliai ef lawer mwy o'i amser gartref, naill ai ar ei ben ei hun neu gyda'i fam a'i chwaer Gwendolen, ac fe gafodd gryn dipyn o ryddid. Fe'i haddysgwyd yn gyfan gwbl yn yr Eidal, ac Eidales o ran iaith oedd ei fam. Yr oedd ganddo lai o Saesneg nag Idris, ond yr oedd ei Eidaleg yn gyfoethog. Saesneg a ddarllenai Idris pan oedd ganddo ychydig o amser i wneud hynny. Darllenai Llewelyn yn helaeth; Eidaleg oedd iaith ei lyfrau.

Yn ôl ei fersiwn ef o'i hanes, Natur a Chelfyddyd a reolai ei fywyd o'i ddyddiau cynharaf. Byddai'n mynd allan i'r wlad ar bob cyfle, yn enwedig bob penwythnos. Yno casglai bob math o blanhigion a mân greaduriaid; byddai'n mynd â hwy adre ac yn tynnu lluniau ohonynt. Weithiau eisteddai yn yr awyr agored am oriau yn paentio cymylau neu'r môr. Sylwodd un o'r athrawon yn ei ysgol ar ei arferion a'i allu anghyffredin, ac fe geisiodd ei helpu drwy ei gael i gopïo gwahanol fathau o ddarluniau, yn cynnwys portread o'i fam-gu. Mae'n debyg fod ei deulu wedi bod yn eithaf parod i'w gefnogi am flynyddoedd yn y difyrrwch hwn, gan feddwl taw dyna ydoedd i fod – difyrrwch, hobi . . . a dim arall. Yn amlwg, cafodd yr arlunydd ifanc brynu'r defnyddiau a fynnai; y mae tirlun mewn olew a wnaeth pan oedd yn dair ar ddeg oed yn awgrymu ei fod eisoes yn hen law wrth y gwaith.

Ond pan ddaeth yn bryd i Llewelyn feddwl am ymbaratoi ar gyfer ennill ei fywoliaeth, bu cyfnod diflas yn y berthynas rhyngddo ef a'i deulu. Esgeulusai'r astudiaethau a fyddai wedi bod yn ddefnyddiol iddo yn swyddfa William Lloyd a'i Gwmni, a chanolbwyntiai fwyfwy ar ei ddiddordebau celfyddydol. Ni fynnai hyd yn oed ystyried unrhyw alwedigaeth y tu allan iddynt. Yr oedd hyn oll yn dipyn o siom i'w ewythr Robert, gŵr a fu'n hynod o garedig wrth blant ei frawd. Ond, yn ôl William, mab yr arlunydd, y gwrthwynebydd mwyaf cyndyn oedd Idris. Ni welai ef pam y dylai busnes y teulu gynnal ei frawd os nad oedd hwnnw'n barod i ysgwyddo'r un cyfrifoldebau ag yntau. O'r diwedd, llwyddwyd i gael Llewelyn i fynd i swyddfa'r cwmni am rai wythnosau ac, yn ôl William eto, fe lwyddodd ef i brofi y buasai'n fethiant llwyr yno.

Efallai y byddai'r teulu wedi ennill y frwydr mewn tref wahanol. Ond, er mai porthladd a chanolfan masnachol oedd Livorno yn anad dim, yr oedd nifer o arlunwyr yn gysylltiedig â'r ddinas. Ac un ohonynt oedd Giovanni Fattori, arweinydd y *macchiaioli* hynny y buom yn sôn amdanynt yn y bennod gyntaf. Erbyn hyn yr oedd yn byw yn Firenze, ond Liforнwr ydoedd, a byddai'n dod yn ôl i Livorno bob haf i dreulio deufis yn paentio ar hyd yr arfordir. Yr oedd Llewelyn Lloyd wedi ei weld pan oedd yn fachgen, ac yr oedd Fattori o ran osgo a gwisg yn bopeth y disgwyliai i arlunydd rhamantaidd fod! Yn nes ymlaen, gwelodd ac edmygodd Lloyd ei waith yn yr oriel yn Livorno. Bu'n arwr iddo am weddill ei oes. Hefyd, hyd yn oed yn y cyfnod pan oedd y teulu'n bwriadu paratoi Llewelyn ar gyfer gyrfa fasnachol, fe ddigwyddodd athro a roddai wersi preifat iddo roi hwb iddo i gyfeiriad gwahanol, a hynny, mae'n debyg, yn gwbl anfwriadol. Pan sylweddolodd yr athro fod gan Llewelyn rywfaint o ddiddordeb yn y celfyddydau cain, rhoes fenthyg llyfrau gan dri awdur iddo. Prin y gallasai fod wedi dewis tri a fyddai'n fwy perthnasol i freuddwydion Llewelyn.

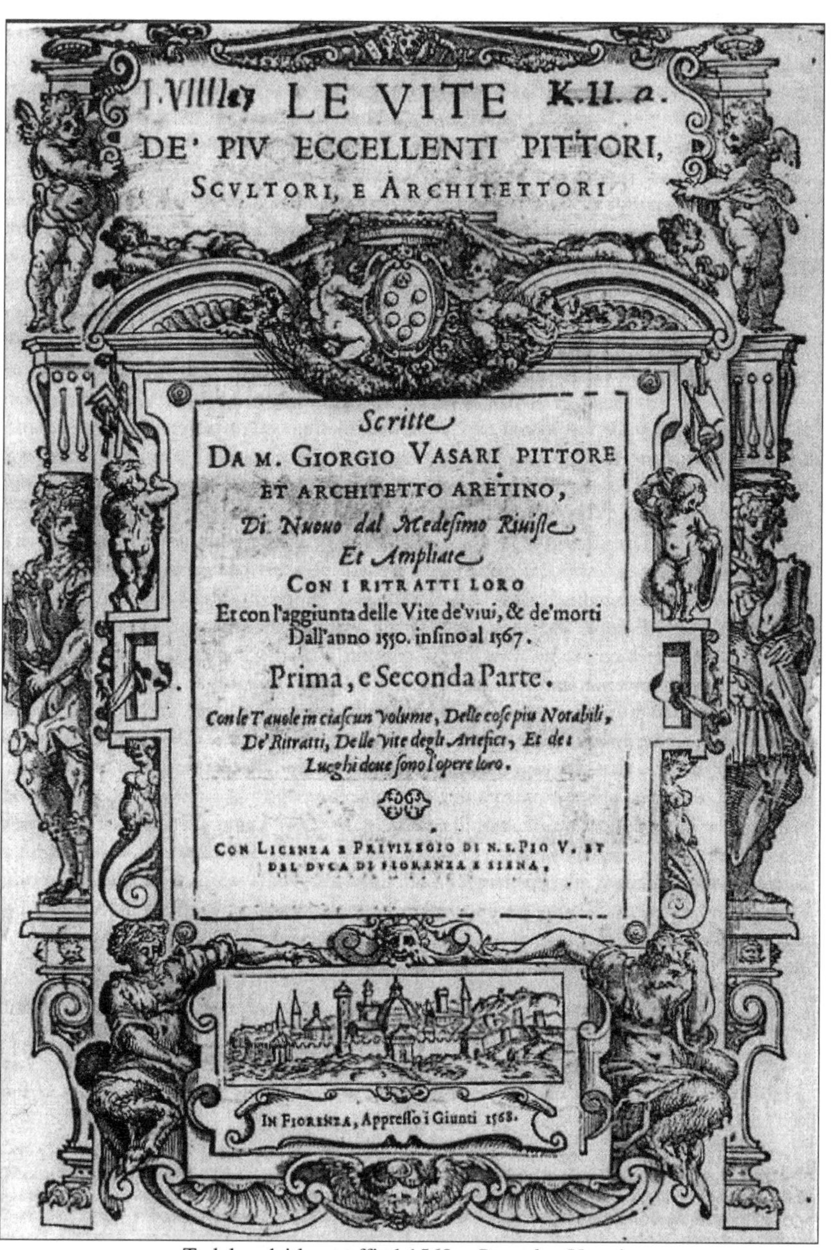

LE VITE
DE' PIV ECCELLENTI PITTORI,
SCVLTORI, E ARCHITETTORI

Scritte
DA M. GIORGIO VASARI PITTORE
ET ARCHITETTO ARETINO,
Di Nuouo dal Medesimo Riuiste
Et Ampliate
CON I RITRATTI LORO
Et con l'aggiunta delle Vite de'viui, & de'morti
Dall'anno 1550. insino al 1567.

Prima, e Seconda Parte.

Con le Tauole in ciascun volume, Delle cose piu Notabili, De' Ritratti, Delle vite degli Artefici, Et dei Luoghi doue sono l'opere loro.

CON LICENZA E PRIVILEGIO DI N. S. PIO V. ET DEL DVCA DI FIORENZA E SIENA.

IN FIORENZA, Appresso i Giunti 1568.

Tudalen deitl argraffiad 1568 o *Bywydau* Vasari.

Y mwyaf sylweddol o'r llyfrau oedd *Le vite dei più eccellenti pittori, scultori e architettori* gan Giorgio Vasari (1511-74), sef hanes bywydau tua dau gant o arlunwyr, cerflunwyr a phenseiri. Perchid Vasari ei hun yn ei ddydd fel paentiwr ac fel pensaer; edmygid, er enghraifft, y ffresgoau ardderchog a wnaeth yn y Palazzo Vecchio yn Firenze a'r cynlluniau a wnaeth fel pensaer yr Uffizi. Ond yn sicr ei gampwaith oedd y *Bywydau.* Bu'n waith hynod o ddylanwadol yn hanes a hanesyddiaeth y celfyddydau cain; mae'n rhyfedd mor agos ydym ni o hyd yn ein hamgyffred o ddatblygiad y celfyddydau yn yr Oesoedd Canol a'r Dadeni Dysg i'r hyn a ysgrifennodd Vasari dros bedair canrif yn ôl. (Ond nid dyma'r lle i fynd ar ôl y dadleuon a fu ynghylch y berthynas rhwng ei ddefnydd ef o'r gair *rinascita* a'r arwyddocâd a roddwn ni i'r gair Dadeni!) Mae hefyd yn awdur hynod o ddarllenadwy. Wrth adrodd hanes bywyd artist gall symud yn ôl ac ymlaen yn hwylus rhwng beirniadaethau difrifol ar ei weithiau a straeon doniol dros ben sy'n taflu goleuni ar ei ffaeleddau dynol neu ar ei hiwmor; mae ambell dudalen ganddo yn darllen fel *novella* gan Boccaccio. Yn yr un modd, mae amrywiaeth hyfryd yn ei arddull: gall symud o frawddeg glasurol ei chystrawen i rythmau'r iaith lafar, ac o eirfa lenyddol i idiomau poblogaidd. Os seiliwyd amgyffrediad Llewelyn Lloyd o fywyd artist ar fywydau Leonardo da Vinci, Botticelli, Raffaello a Michelangelo fel y bydd Vasari yn eu hadrodd, ni fyddai llawer o gystadleuaeth wedi bodoli yn ei feddwl rhwng gyrfa fel arlunydd a gyrfa yn allforio brwyniaid ac olew olewydd.

Hunangofiant yw *I miei ricordi* gan Massimo D'Azeglio (1798-1866). Yn gymharol gynnar yn ei yrfa cafodd yr awdur lwyddiant fel paentiwr ac fel nofelydd hanesyddol, ac yr oedd ei wraig gyntaf yn ferch i'r mwyaf o nofelwyr hanesyddol yr Eidal, sef Alessandro Manzoni. Eto i gyd, o 1844 ymlaen troes D'Azeglio ei gefn ar y rhan fwyaf o'i ddiddordebau artistig a llenyddol er mwyn canolbwyntio ar y frwydr genedlaethol dros undod yr Eidal. Cafodd ei glwyfo wrth ymladd yn erbyn Awstria yn 1848, a bu yn Brif Weinidog Piemonte. Nid yw ei lyfr ef mor bwysig o bell ffordd â thair cyfrol Vasari. Ond yr oedd wedi cael bywyd amrywiol a chyffrous, ac yr oedd yr atgofion a ysgrifennodd yn ei flynyddoedd olaf yn afaelgar. Yn sicr, gallai llanc eu cael yn ddifyr. (Yn rhyfedd iawn, gallaf dystio i hyn yn bersonol. Cyn amser Dr Beeching, bu rheilffordd hyfryd iawn rhwng Castell-nedd ac Aberhonddu, ac ar hyd y lein hon y byddai bechgyn a merched Cilffriw,

Creunant a Blaendulais yn teithio i'w hysgolion sir yng Nghastell-nedd. Weithiau, pan oeddwn yn y chweched dosbarth a thuag un ar bymtheg mlwydd oed, byddwn yn cymryd y trên i'r cyfeiriad arall ar fore Sadwrn, er mwyn cael crwydro o amgylch Aberhonddu. Un diwrnod yr oeddwn yn mynd yn frysiog drwy'r llyfrau ail-law ar stondin yn y farchnad yno pan ddeuthum ar draws rhyw hanner dwsin o lyfrau Eidaleg. Prynais un ohonynt, sef hunangofiant D'Azeglio, am rôt. Dechreuais ei ddarllen yn y trên ar ddiwedd y prynhawn, a bûm wrthi am oriau ar ôl mynd adre. Llanwodd fy oriau hamdden am ddiwrnodau.)

Y trydydd llyfr a fenthycwyd gan Lloyd oedd *Pensieri sull'arte e ricordi autobiografici*, casgliad o sylwadau ar gelfyddyd ac atgofion hunangofiannol, gan Giovanni Dupré (1817-82). Fel awdur ni fu Dupré mor boblogaidd â D'Azeglio, ond fel cerflunydd yr oedd yn haeddu cryn barch, ac yn yr Eidal fe gafodd y parch a haeddai. Iddo ef yr ymddiriedwyd y dasg o lunio cofadail i goffáu gwleidydd mwyaf y Risorgimento, Cavour, yn Torino, y ddinas lle bu Cavour yn Brif Weinidog Piemonte ac yna yn Brif Weinidog cyntaf yr Eidal.

Yn ystod y blynyddoedd pan oedd ei deulu yn bwriadu gwneud masnachwr o Llewelyn, fe'i hanfonwyd i'r Ysgol Dechnegol enwog yn Livorno. Yno tyfodd cyfeillgarwch rhyngddo a bachgen a oedd yn anarferol o ddisglair mewn meysydd a ymddangosai'n ddieithr iawn i Llewelyn. Ei enw oedd Guglielmo Marconi. Yr oedd elfennau yn safle cymdeithasol Marconi a oedd yn debyg i sefyllfa Lloyd. Yr oeddynt ill dau ar ymylon y gymuned Brydeinig yn Livorno ond heb fod yn Saeson: Lloyd yn fab i Gymro ac Eidales (Eidales o deulu a hanai o'r rhan Eidaleg o'r Swistir) a Marconi yn fab i Eidalwr a Gwyddeles. Eidaleg oedd yr iaith a siaradent â'i gilydd. Flynyddoedd wedi hynny, pan oedd Roberto a Gwen yn blant, byddai Llewelyn yn hoff iawn o'u difyrru trwy ddisgrifio sut y byddai Guglielmo yn mynnu bod Llewelyn yn dal rhyw declyn â gwifren hir yn sownd wrtho tra byddai Guglielmo yn trafod rhywbeth tebyg ar ben draw'r wifren ac yn taeru y dylai fod yn ddigon hawdd i gael y wifren i gario llais y naill i'r llall. Efallai ei fod yn teimlo'n flin fod rhywun arall wedi datrys y broblem cyn iddo ef fod yn ddigon hen i gael cyfle i wneud hynny! Ymhen ychydig flynyddoedd wedi hynny, wrth gwrs, yr oedd Marconi wedi symud ymlaen at rywbeth mwy syfrdanol, y ddyfais a ddisgrifid ar y pryd fel 'teleffon di-wifr'. (Yn ystod fy mhlentyndod i, 'weiarles' oedd y gair a arferid ar lafar gwlad am set radio, ac yr oedd cyfran dda o'r setiau cynnar yn ein pentref ni yn setiau Marconi.) Pan gofiwn fod Marconi wedi gwneud arbrofion pwysig yng Nghymru, mae'n anodd peidio â gofyn tybed ai yn Livorno y clywodd gyntaf am y wlad honno. Yn yr 1930au ceisiwyd gwneud Llewelyn Lloyd yn aelod o Academi Frenhinol yr Eidal. Gwrthododd y gwahoddiad am fod yn rhaid i'r aelodau fod yn Eidalwyr, ac nid oedd ef yn fodlon derbyn dinasyddiaeth Eidalaidd. Llywydd y *Reale Accademia d'Italia* ar y pryd oedd Guglielmo Marconi.

Nid oes dim a ddengys fawrfrydigrwydd Robert Lloyd Hendrefigillt yn well na'i berthynas â Llewelyn yn ystod y blynyddoedd mwyaf tyngedfennol yn ei addysg. Unwaith yr argyhoeddwyd Robert fod Llewelyn o ddifrif calon am fod yn arlunydd, a bod ganddo ddoniau cwbl anghyffredin, fe benderfynodd anwybyddu protestiadau Idris. Dywedodd wrth Llewelyn ei fod yn barod i wneud popeth rhesymol i'w gynorthwyo, ar yr amod ei fod ef yn gwneud ei orau glas i fod yn arlunydd o'r radd flaenaf. Mae'n debyg fod Llewelyn eisoes wedi cyfarfod (tua 1894) â Guglielmo Micheli (1866-1926), gŵr a gynhaliai ysgol i arlunwyr yn Livorno, a'i fod wedi cael gwers neu ddwy ganddo; bu gan Micheli amaturiaid yn ogystal â phaentwyr proffesiynol ymhlith ei ddisgyblion. Bellach mynnodd Robert fod Llewelyn yn mynychu stiwdio Micheli yn rheolaidd ac yn arfer ei grefft yn feunyddiol. Derbyniodd Llewelyn y cymorth a gynigiodd Robert, a'r amodau. Bu'n hynod o weithgar drwy gydol ei oes. Bu hefyd yn hynod o drefnus a disgybledig ynglŷn â'i waith: cadwai ddyddiadur lle byddai'n cofnodi'n ofalus yr hyn a wnâi bob dydd. Oherwydd hyn, ni fu fawr o ddadlau nac o dwyllo ynghylch tadogaeth paentiadau Llewelyn Lloyd: ar sail y disgrifiadau a geid yn ei ddyddiaduron, fe baratoes ef ei hun restr o'i luniau mewn trefn gronolegol ar gyfer y llyfr *Tempi andati*. Mae hyn oll yn drawiadol o gofio mor anghofus y gallai fod o faterion ymarferol. Yn ystod yr Ail Ryfel Byd, pan oedd amheuaeth ynglŷn â dinasyddiaeth ei fab Roberto, cafwyd bod Llewelyn wedi cofrestru genedigaeth ei fab hynaf William yn llysgenhadaeth Prydain yn yr Eidal, ond wedi llwyr anghofio cofrestru Roberto: nid oedd cofnod o'i fodolaeth ef yn unman.

Bu Llewelyn yn ffodus yn ei athro cyntaf. Un o ddisgyblion Fattori oedd Micheli. Ni feddai ar wreiddioldeb Fattori, ond yn dechnegol yr oedd yn feistr ar ei grefft. Dywedai yn ddiymhongar ei fod yn ceisio cyfleu i'w fyfyrwyr yr hyn a ddysgasai yn nosbarthiadau Fattori yn Firenze; yr oedd yn ddigon craff i werthfawrogi mawredd Fattori ac yn ddigon gwylaidd i'w gydnabod yn feistr. Yn wir, un o rinweddau Micheli oedd ei allu i adnabod athrylith. Yn y blynyddoedd 1897-9 mynnodd fod dau o'i fyfyrwyr yn mynychu dosbarthiadau mewn anatomeg a darlunio anatomegol ym Mhrifysgol Pisa. Llewelyn oedd un o'r ddau a ddewisodd; y llall oedd Amedeo Modigliani, bachgen a ddaeth yn gyfaill agos i Llewelyn yn yr Eidal cyn symud i Baris ac ennill enwogrwydd bydeang . . . a marw'n ifanc. Ac y mae hyn efallai yn help inni weld cymaint o fantais a fu ysgol Micheli i Lloyd. Yr oedd Llewelyn yn ddiamau yn artist galluog cyn mynd at Micheli, ac y mae'n bosibl y byddai wedi cael gyrfa lwyddiannus petai wedi dal i weithio ar ei ben ei hun. Ond yr oedd cael trafod ei waith, nid yn unig gyda Micheli, ond gyda chydfyfyrwyr fel Modigliani, Gino Romiti ac Antony de Witt, yn galondid iddo yn bersonol yn ogystal ag yn gymorth yn broffesiynol. Bu Romiti yn gyfaill oes iddo. Mae'r holl noethluniau a'r holl frasluniau o ysgerbydau a cherfddelwau a wnaeth yn y cyfnod hwn yn dangos hefyd ei fod wedi elwa ar ei astudiaethau yn Pisa i addasu'r doniau a fu eisoes yn amlwg yn ei dirluniau a'i luniau o fadau er mwyn gwella'i ymdriniaeth o'r corff dynol. Un o'r sgetsau bach mwyaf diddorol i ni heddiw yw'r un a wnaeth yn 1899 o'i gyfaill Dedo, hynny yw Amedeo Modigliani. A bu clywed Micheli yn sôn yn frwdfrydig am weithiau rhai o'r arlunwyr a fu'n gydefrydwyr ag ef yn Firenze yn symbyliad i Llewelyn roi sylw manwl i artistiaid megis Mario Puccini a Plinio Nomellini, arlunwyr y daeth yn dipyn o awdurdod arnynt.

Guglielmo Micheli: Hunanbortread.

Yr oedd cymwynas fwyaf Micheli eto i ddod. Byddai Fattori'n galw i mewn i weld ei gyn-fyfyriwr bob haf yn ystod ei ymweliad â Livorno. Yr oedd ganddo feddwl uchel o ysgol 'Memo', fel y byddai'n ei alw, a byddai Micheli yn naturiol yn ei wahodd i edrych ar weithiau'r artistiaid ifainc mwyaf addawol, gan wybod y byddai cael gair o gymeradwyaeth oddi wrth y Meistr yn galondid iddynt. Felly y cafodd Llewelyn ei gyflwyno i'w arwr. Enillodd ganmoliaeth hael, a phan oedd ychydig dros un ar hugain mlwydd oed ac ar drothwy'r ganrif newydd, fe ddywedodd Fattori wrtho ei bod yn bryd iddo bellach symud i Firenze. Yno câi astudio yn yr *Accademia di Belle Arti*, lle y byddai Fattori ei hun yn rhoi gwersi. Byddai hefyd yn cael cyfle i drafod ei grefft gyda nifer o arlunwyr eraill a oedd wedi ymsefydlu yn Firenze. Ac wrth gwrs câi gyfle i astudio gweithiau meistri'r canrifoedd yn orielau'r ddinas, orielau a oedd ymhlith y gorau yn y byd.

Fe fu Llewelyn wrth ei fodd yn ei astudiaethau yn ystod ei flynyddoedd yn ysgol Micheli, ond yn ei fywyd personol cafodd ddau ergyd arswydus. Yn 1897 bu farw ei chwaer Gwendolen yn ugain oed. Buasai iechyd ei fam yn fregus iawn byth er pan fu farw William ei gŵr, a daeth yn amlwg yn fuan fod colli ei hunig ferch wedi bod yn ormod iddi ei ddioddef; bu hithau farw yn 1898. Yr oedd y cartref cynnes, Eidalaidd ei naws, y codwyd Llewelyn ynddo, bellach wedi cael ei chwalu.

Yn y cyfnod hwn, daeth ei berthynas â'i ewythr Robert yn bwysicach nag erioed i Llewelyn. Erbyn hyn, yr oedd Robert wedi hen dderbyn na fyddai Llewelyn fyth yn bartner busnes iddo ef ac Idris, a bu'n garedig ac yn gadarn yn y gefnogaeth a roes iddo. Yn ôl William Lloyd, mab yr arlunydd, pan oedd Llewelyn yn un ar hugain oed, a Fattori wedi ei gynghori i symud i Firenze, fe ddywedodd Robert 'rhywbeth fel hyn' wrtho (ac yma cyfieithiaf o nodiadau anghyhoeddedig William ar hanes ei deulu): 'Gan dy fod wedi penderfynu bod yn arlunydd, ymlaen â thi! Drwy lwc, fydd dim rhaid iti newynu! Rwyf wedi gofalu yn dda am yr hyn a fuddsoddodd dy dad yn y busnes, ac mae dy gyfran di bellach yn werth 120,000 *lire*. Fe gadwn ni'r swm hwn fel buddsoddiad yn y busnes. Gan nad wyt ti'n cyfrannu gyda'th waith, fyddai hi ddim yn deg iti gael cyfran o'r elw o hyn allan. Ond fe fyddwn yn talu llog teg iti o dri a hanner y cant ar y buddsoddiad. A bydd hyn yn ddigon iti fyw arno heb ofidiau ariannol. Wrth gwrs, rwy'n gobeithio y cei di yn fuan enillion o'th waith fel arlunydd yn ogystal.' Yn 1900 gallai gŵr ifanc dibriod fyw'n gysurus iawn ar yr incwm y trefnodd Robert Hendrefigillt i'w nai ei dderbyn. Fe ychwanega William ei fod ef yn ystod ei blentyndod wedi cael ei syfrdanu droeon gan ddyfned y parch y byddai Llewelyn yn amlwg yn ei deimlo at ei ewythr. Byddai nid yn unig yn

Robert Lloyd Hendrefigillt yn Livorno yn 1905

sicrhau bod ei blant yn defnyddio'r ffurf gwrtais *Lei*, nid *tu*, wrth siarad ag ef, ond byddai ef ei hun yn gwneud hynny hefyd. I William ymddangosai hyn yn gwbl anacronistaidd.

Fe fuasai Llewelyn, wrth gwrs, yn ymwybodol o safle eithriadol Firenze yn hanes y celfyddydau cain ymhell cyn iddo gael cyfle i weithio gyda Fattori. Tua diwedd 1894, ac yntau'n llanc pymtheg oed, yr oedd wedi mentro anfon dau o'i ddarluniau i un o arddangosfeydd y *Società Promotrice di Belle Arti* (y Gymdeithas er Hyrwyddo Celfyddydau Cain). Yn bwysicach na hynny, yn 1896 yr oedd wedi ymweld â Firenze pan oedd y gymdeithas honno, er mwyn dathlu ei hanner canmlwyddiant, wedi cynnal (ar y cyd gyda'r *Società di Orticultura*!) arddangosfa arbennig iawn. Gwahoddwyd rhai o arlunwyr amlycaf Ewrop i anfon enghreifftiau o'u llafur i'r arddangosfa honno, a chafwyd ymateb cadarnhaol gan nifer da ohonynt. Symbylwyd Llewelyn felly i fyfyrio uwchben rhai o'r datblygiadau diweddaraf yn y celfyddydau, yn enwedig yn yr Eidal a Ffrainc. Pan ailgydiodd yn ei waith ar ôl ymweld â'r arddangosfa, cafodd gyfnod ffrwythlon iawn. Ystyria Donzelli taw peth o gynnyrch y cyfnod hwn yw'r cyntaf lle y gallwn adnabod y weledigaeth unigol a nodweddai baentiadau Llewelyn Lloyd. Fe'i gwelid yn y tri darlun gan Lloyd a dderbyniwyd ar gyfer arddangosfa'r *Società Promotrice* yn 1898. Enillodd un ohonynt, *La quiete,* ganmoliaeth uchel gan Telemaco Signorini, gŵr a fuasai gynt yn un o arweinwyr y *macchiaioli* ac a oedd wedi datblygu i fod yn awdur ac yn feirniad o fri.

Cafodd Llewelyn gyfle arall i astudio enghreifftiau o gynnyrch diweddaraf Ewrop yn y *IV Biennale di Venezia* yn 1901. Yno gwnaeth darluniau Nino Costa argraff ddofn arno. Yn fuan wedi hynny cafodd un o weithiau Llewelyn ei hun, llun o fadau pysgota yn ymadael fin nos, dderbyniad da mewn arddangosfa yn Genova, lle y'i prynwyd gan gasglwr o Loegr. Hwn oedd y tro cyntaf i Llewelyn arddangos y tu allan i Toscana. Y dyddiad oedd 1902. Y flwyddyn ganlynol anfonodd un o'i weithiau i Rufain. Yn ddiamau yr oedd erbyn hyn yn gyfarwydd â gweithiau nifer o feistri Ewropeaidd, ac y mae beirniaid wedi sôn am nifer o ddylanwadau posibl arno, er enghraifft Manet, Seurat a Nomellini. Yr oedd hefyd wedi dod i adnabod Cannicci a rhai o'i gyfeillion. Ymddengys i mi fod canfod dylanwadau unigol arno braidd yn anodd, a dweud y lleiaf, ond yn sicr fe ymddiddorodd yn rhai o'r mudiadau rhyngwladol a fu'n ddylanwadol ar y pryd.

Un o'r rhain oedd y mudiad a adwaenid yn yr Eidal fel *divisionismo*, 'rhaniadwaith'. Wrth wraidd rhaniadwaith yr oedd syniadau ynghylch y ffordd y byddwn yn gweld lliwiau. Yn ôl y rhaniadweithyddion, pe byddai arlunydd, yn lle cymysgu lliwiau ar y palet, yn eu rhoi ochr yn ochr ar y cynfas (ar wahân, hynny yw yn 'rhanedig', mewn llinellau eiddil neu ddotiau mân), byddent yn ymdoddi i'w gilydd rhwng y cynfas a llygad y gwyliwr. Gellir gweld rhai o'r effeithiau diddorol a geid ar sail syniadau cyffelyb yn y modd y bu'r *pointillistes* yn Ffrainc yn defnyddio dotiau bach ac yn y defnydd a wnaed o linellau gan arlunwyr yn yr Eidal, yn enwedig Plinio Nomellini, heb sôn am y defnydd achlysurol o ddwbiadau mân yng ngweithiau'r *macchiaioli* gynt. Mabwysiadodd Llewelyn Lloyd y technegau hyn a gwnaeth ddefnydd helaeth ohonynt am tua degawd o 1903 ymlaen. Ar ddechrau'r cyfnod hwn, fe aeth ar daith baentio yn Liguria, gan mwyaf yn ardal y Cinque Terre, gyda'i gyfeillion

Antonio Discovolo a Guglielmo Amadeo Lori; yno câi'r golygfeydd ar lan y môr yn addas iawn ar gyfer arbrofion gyda rhaniadwaith. Os edrychwn yn ôl yn awr ar ddatblygiad cynnar Llewelyn Lloyd, cawn yr argraff ein bod yn astudio artist a oedd wrth reddf yn naturiolydd, ond un a fu yn ifanc iawn dan ddylanwad y *macchiaioli* a rhai o'r argraffiadwyr a'r rhaniadweithyddion. Yn y diwedd, naturoliaeth a orfu, ond naturoliaeth a gyfoethogwyd yn fawr gan ddylanwad yr argraffiadwyr a rhaniadweithyddion. Hyd yn oed pan oedd ei 'gyfnod rhaniadweithiol' ar ben, gwelir y technegau a ddysgodd Llewelyn gan y rhaniadweithyddion yn eglur yn ei ddehongliad o'r wybren mewn llawer tirlun. Mae rhai o'r darluniau a wnaeth ym Manarola yn Liguria yn 1904 ymhlith yr enghreifftiau hyfrytaf o'i raniadwaith. Yn y blynyddoedd nesaf gwnaeth sawl siwrne i Liguria i baentio.

Yn 1905 daeth Llewelyn Lloyd i adnabod Elena Foresi. Fe'u priodwyd ar 16 Ebrill 1906. Merch o Firenze oedd hi, ac yno yr ymsefydlodd y ddau i godi teulu. Cawsant dri o blant: William (1907-80), Gwendolen (1911-) a Roberto (1916-).

Erbyn hyn yr oedd Llewelyn yn arddangos yn gyson: ym Milan yn 1906, er enghraifft, yn y Biennale yn Venezia yn 1907, ac yn Firenze yn yr un flwyddyn. Mae'n ddiddorol sylwi ei fod wedi dewis bod yn y *Sala dei Secessionisti*, ystafell yr ymwahanwyr, yn nhrigeinfed arddangosfa'r *Società Promotrice*. Fe ddisgrifiwyd yr achlysur gan Lloyd ei hun yn *Tempi andati:*

> Tua 1907, yn y Gymdeithas er Hyrwyddo Celfyddydau Cain yn Firenze, bu tipyn o anfodlonrwydd yn ein plith ni'r ifainc. Yn ein tyb ni, hen ddynion wedi gweld eu dyddiau gorau oedd y cyfarwyddwyr, ac yr oeddem am fod ar wahân. Fe ofynasom am ystafell i ni'n hunain, ac ar ôl tipyn o frwydr a gelyniaeth, fe'i rhoddwyd inni. Pump ohonom: Adolfo De Karolis, Giuseppe Grazioli, Oscar Ghiglia, Romeo Costetti a minnau.

Dywed amdano'i hun ei fod ar y pryd yn 'argraffiadwr a rhaniadweithydd ffyrnig'. Yr hyn a gythruddodd rai o'r ymwelwyr â'r arddangosfa, mae'n debyg, oedd y defnydd a wnâi o liwiau llachar i gyfleu ei argraffiadau: creigiau Manarola yn goch yn haul tanbaid y prynhawn, a'r môr yn borffor dwfn.

Yn 1907 hefyd fe ymwelodd Llewelyn ag ynys a oedd i gael lle pwysig yn ei waith: Elba. Aeth yn ôl yn gyson wedi hynny. Yn 1913 prynodd *La Casa dei Melograni*, Tŷ'r Pomgranadwydd, ym Marciana Marina, a daeth yr ardd a'r pomgranadau yno yn elfennau cyson yn ei ddarluniau. Ond pan laniodd Llewelyn ar Elba am y tro cyntaf yn 1907, yr oedd olion llifogydd arswydus 1899 i'w gweld o hyd, a daeth tri darlun a wnaeth i gyfleu'r difrod a'i effeithiau yn adnabyddus, yn enwedig *Y dafarn a gaewyd*. Bellach, dilynai ei fywyd batrwm lled gyson: Elba yn ystod yr haf a rhan o'r hydref, Firenze am weddill y flwyddyn

Ar ôl iddo briodi ac ymsefydlu yn Via XX Settembre yn Firenze, daeth Llewelyn yn gyfarwydd nid yn unig ag arlunwyr eraill y ddinas, ond hefyd â chasglwr taer, Gustavo Sforni, gŵr cyfoethog a fu'n gefn i ambell arlunydd tlawd, megis Oscar Ghiglia. Bu Sforni yn un o'r casglwyr cynharaf i werthfawrogi darluniau Lloyd, ac fe brynodd nifer ohonynt. Daeth Llewelyn yn gyfeillgar hefyd â rhai awduron, yn eu mysg Giovanni Papini, Bruno Cicognani ac Ugo Ojetti. Bu'r cysylltiadau hyn, ac yn enwedig yr erthyglau a ysgrifennodd Ojetti am ei ddarluniau, yn fodd i dynnu sylw at ei waith. Dechreuodd arddangos y tu allan i'r Eidal. Derbyniwyd tri o'i baentiadau i'r *Salon d'Automne* ym Mharis yn 1909. Dyfarnwyd y fedal efydd iddo ym mhrif gystadleuaeth yr arddangosfa ryngwladol ym Mrwsel yn 1910 ac mewn arddangosfa gyffelyb yn Barcelona yn 1911. Ni cheisiaf nodi'r holl arddangosfeydd y bu ei weithiau ynddynt o hynny ymlaen; yn 1932 sylwodd ei fod wedi cyrraedd ei ganfed. Ond fe ddylem nodi ei fod wedi anfon darluniau yn 1914 i'r arddangosfa yn Rhufain a gafodd yr enw *Secessione Romana*, yr ymwahaniad Rhufeinig, gan ymgysylltu felly â'r *Gruppo Etruria*, carfan o arlunwyr a chwiliai am ffyrdd i adnewyddu'r traddodiadau a ddeilliai o etifeddiaeth y *macchiaioli*. I'r blynyddoedd toreithiog hyn yng ngyrfa Llewelyn y perthyn llawer o luniau dyfrlliw a phastel yn ogystal â lluniau olew a lithograffau.

Ac yna yn 1917 fe brynodd y *Galleria Nazionale d'Arte Moderna* yn Rhufain ddarlun lled enwog ganddo, *Il castagno morto*, 'y gastanwydden farw'. Dilynwyd esiampl yr oriel bwysig hon gan orielau eraill a phrynwyr preifat. Gallai Llewelyn Lloyd deimlo bellach ei fod wedi llawn ennill ei blwyf fel arlunydd. Ond yn 1915 yr oedd yr Eidal wedi ymuno â Ffrainc a Phrydain i ymladd yn erbyn Awstro-Hwngaria a'r Almaen. Fel deiliad Prydeinig yn byw yn yr Eidal, yr oedd disgwyl i Llewelyn Lloyd wasanaethu yn lluoedd arfog yr Eidal. Daeth yr alwad honno hefyd yn 1917.

DYDDIAU'R PARCH A'R BRI

Os torrodd y Rhyfel Byd Cyntaf ar draws gyrfa Llewelyn Lloyd fel arlunydd, fe fu ef o leiaf yn hynod o lwcus yn y modd y digwyddodd hynny. Ni ddaeth yr alwad i ymrestru tan fis Rhagfyr 1917, pan oedd yn ddeunaw ar hugain mlwydd oed. Penderfynwyd cadw'r listiad y perthynai iddo yn Firenze hyd nes byddai ei angen ar y ffrynt, ac yno y bu tan y cadoediad ym mis Tachwedd 1918. Yn y cyfamser, fe'i defnyddiwyd i gynorthwyo'r gwasanaethau sifil. Ar gyfer Llewelyn, dewiswyd gwasanaeth mewn ysbyty lle yr oedd y mwyafrif o'r cleifion yn blant, ac yno fe'i gwahoddwyd i ddefnyddio ei ddoniau i ddylunio teganau pren. Cafwyd y rhai a gynlluniwyd ganddo yn dderbyniol iawn, a phan ryddhawyd ef o'r fyddin fe sefydlodd ef a phartner iddo fusnes i gynhyrchu teganau o'r fath. Daeth yn amlwg yn fuan iawn fod y fenter yn llwyddiant, ond daeth yr un mor amlwg na allai Llewelyn ei hun fforddio amser i'w neilltuo i'r busnes; yr oedd mwy na digon o waith yn ei aros yn ei briod alwedigaeth. Am yr ail dro yn ei fywyd fe ymwadodd â chyfleoedd y byd masnachol, a gadawodd y busnes i'w bartner.

Yn ystod gwanwyn 1918 bu arddangosfa yn Firenze o baentiadau gan Gino Romiti, ond gan fod yr arlunydd hwnnw yn Albania gyda'r fyddin ar y pryd ni allai fod yno yn bersonol i'w threfnu. Gwnaethpwyd hynny ar ei ran gan ei gyfaill Llewelyn Lloyd. Yn y blynyddoedd dilynol daeth Lloyd yn gyfarwydd iawn â gorchwylion o'r fath. Erbyn hyn yr oedd ei safle yn y gymuned artistig yn y ddinas yn gyfryw fel y disgwylid iddo ymgymryd â rhywfaint o waith cyhoeddus drosti. Yn 1920 etholwyd ef yn Is-lywydd y *Società Promotrice di Belle Arti* (y Gymdeithas er Hyrwyddo Celfyddydau Cain) gyda chyfrifoldeb am drefnu ei harddangosfeydd blynyddol. Bu'n drefnydd effeithiol a chydwybodol iawn, ond fe'i poenid yn fawr gan y digio a'r diflastod a ddilynai'r broses o ddewis a gwrthod paentiadau. Fe gofiai ond yn rhy dda am y chwerwder a brofodd ef ei hun yn 1910 pan wrthodwyd darlun yr oedd wedi ei gynnig i'r Biennale yn Venezia. Yr oedd wedi arddangos yn gyson yno o 1905 ymlaen. Fe'i cythruddwyd yn arw gan y gwrthod, ac yr oedd yn sicr ei fod wedi cael cam; bu bron â phenderfynu peidio ag anfon rhagor o weithiau yno. Bu ei gyfeillion yn ddigon call i'w ddarbwyllo i beidio â digalonni: yr oedd yn wir, meddent, fod gweithiau llai teilwng na'i baentiad ef wedi cael eu derbyn, ond yr oedd pob beirniad a phob rheithgor yn methu o bryd i'w gilydd, a dylai fod yn ddigon call i beidio â chymryd unrhyw ddyfarniad ormod o ddifrif, boed ffafriol neu anffafriol. O'r diwedd cafwyd perswâd arno i gystadlu eto yn 1912; derbyniwyd ei waith y flwyddyn honno ac ym mhob Biennale wedi hynny tan 1930, pryd y rhoes y gorau i arddangos yno oherwydd ei fod yn rhy brysur.

Os edrychwn ar rai o'r llythyrau a ysgrifennodd yn y blynyddoedd a ddilynodd y Rhyfel Byd Cyntaf, gwelwn fod dau ddigwyddiad wedi rhoi ysgytwad difrifol iddo. Ym mis Mehefin 1918 yr oedd yn paentio yn ei stiwdio yn Firenze pan ddechreuodd popeth grynu o'i amgylch: deallodd ar unwaith bod daeargryn enbyd wedi cychwyn. Mewn llythyr at Gino Romiti disgrifiodd y braw ofnadwy a brofodd. Bu ef a'i deulu yn ffodus; ni fu fawr o niwed yn Firenze ei hun. Yn y Mugello gerllaw yr oedd uwchganolbwynt y daeargryn; yno fe gollodd rhai o'r trigolion eu cartrefi. Dychrynwyd Llewelyn eto ym mis Chwefror 1920 pan gafodd pawb yn y teulu y 'ffliw Sbaenaidd' a ymledodd drwy Ewrop yn sgil y rhyfel; yr oedd miloedd eisoes wedi marw o'r haint hwnnw, ac yr oedd plant Llewelyn ac Elena yn ifanc ar y pryd. Diau iddo feddwl am y brodyr a chwiorydd a gollodd yn ystod eu plentyndod yn Livorno. Ond unwaith eto bu'r teulu'n lwcus. Gan fod y Llwydiaid i gyd yn sâl ar yr un pryd, fe anfonodd y casglwr hael Gustavo Sforni un o'i weision draw bob dydd i brynu a pharatoi bwyd iddynt, ac fe ddaethant drwy'r ffliw yn ddianaf.

Ond eithriadau oedd yr arswydau hyn mewn cyfnod o areulder, tymor o lafur tawel a phrysur. Ac os mai yn anaml iawn y trefnodd Llewelyn Lloyd arddangosfa bersonol yn ystod y degawd a ddilynodd y rhyfel, y rheswm pennaf dros hynny oedd fod cymaint o alw cyson am ei waith fel nad oedd fel rheol ddigon o baentiadau ar ôl yn ei stiwdio i gynnal un. Erbyn hyn yr oedd diddordeb yng nghynhaeaf toreithiog ei aeddfedrwydd wedi ymledu ymhell y tu hwnt i ffiniau Toscana. Math o gydnabyddiaeth o hyn oedd yr anrhydedd a dderbyniodd gan lywodraeth yr Eidal yn 1920, pryd y penodwyd ef yn *Cavaliere dell'Ordine della Corona d'Italia*, 'Marchog yn Urdd Coron yr Eidal'. Brenhiniaeth, wrth gwrs, oedd yr Eidal y pryd hynny, ac y mae'r teitl yn swnio'n ddigon gwirion efallai i glustiau rhai pobl heddiw, rhywbeth yn debyg i'r teitlau hynny sy'n dal i sôn am yr ymerodraeth Brydeinig. I'r arlunydd, fodd bynnag, yr oedd yn arwydd cymeradwy fod rhywrai yn y brifddinas yn gwerthfawrogi ei ymroddiad a'i dalent. Cafwyd prawf pellach o hynny yn 1923, pan brynodd y *Galleria Nazionale d'Arte Moderna* yn Rhufain ddarlun arall ganddo. Fe'i darbwyllwyd hefyd i geisio trosglwyddo rhai o'i sgiliau i eraill mewn dosbarthiadau yn Firenze, a bu'r rheiny yn dra phoblogaidd.

O safbwynt diwylliannol, bu'n ddiamau yn gaffaeliad i Lloyd ei fod wedi dod yn aelod yn yr 1920au o gylch o ddeallusion a fyddai'n trafod y tueddiadau diweddaraf yn y celfyddydau yn gyffredinol, ac nid yn ei gelfyddyd ef yn unig. Nid academi na chymdeithas swyddogol o unrhyw fath, eithr casgliad o gyfeillion, oedd y cylch hwn, ac ymddangosai'n ddigon distadl. Yn Via Roma yn Firenze yr oedd siop fach lle gwerthid cyfarpar i arlunwyr, ac yno yr oedd ystafell dwt lan llofft a elwid y *pollaio*, y 'cwt ffowls'. Ymhlith y ffrindiau a fyddai'n galw i mewn pan fyddent yng nghyffiniau'r cwt hwn yr oedd Oscar Ghiglia yr arlunydd (ac yn ddiweddarach ei fab Erasmo), Antonio Aspettati, arlunydd arall, Gustavo Sforni y casglwr, Brugnoli y pianydd enwog, Libero Andreotti y cerflunydd, Vito Frazzi y cerddor, Giovanni Papini a Bruno Cicognani y llenorion, Giuliani'r bardd a Llewelyn Lloyd. Weithiau byddai rhai ohonynt yn mynd oddi yno i dreulio awr neu ddwy yn y Caffè Falchetto yn ogystal. Parhâi Lloyd a'i briod i fod yn gyfeillgar iawn hefyd ag Ugo Ojetti a'i briod, ac yr oedd Ojetti yn feirniad ac yn olygydd cylchgrawn dylanwadol. Bu trafod ei ddaliadau a'i ddamcaniaethau gyda gwŷr o'r fath yn help i Lloyd roi trefn ar ei syniadau, a bu'r dadleuon yn y *pollaio* yn gymhelliad iddo ysgrifennu cyfrol fechan ar baentio yn yr Eidal yn y bedwaredd ganrif ar bymtheg, *La pittura dell'Ottocento in Italia,* a gyhoeddwyd yn 1929. Yn yr astudiaeth fer hon, fe roes le arbennig i'r ysgolion hynny yr ystyriai eu bod yn gefndir hanfodol i'w ddatblygiad ef ei hun (darlun gan Fattori sydd ar y clawr), ond fe fu'n hynod o deg hefyd wrth arlunwyr nad oedd ganddo ef yn bersonol fawr o gydymdeimlad â'u gwaith; yn wir, yr hyn sy'n ein taro yw yr wybodaeth ddofn a oedd ganddo o hanes ei grefft a'r ymdrech amlwg a wnaethai ym mhob oriel y bu ynddi i weld campweithiau gan baentwyr eraill.

Awgrymais mai digwyddiad pur anaml yn y blynyddoedd hyn oedd arddangosfa bersonol gan Llewelyn Lloyd. Ond cafwyd un o'r digwyddiadau prin hyn yn Livorno yn 1922-3, a bu'r rhagymadrodd hael a ysgrifennodd Ugo Ojetti i'r catalog yn help i dynnu sylw ato. Dichon i hyn fod i ryw raddau yn ddylanwadol pan benderfynwyd hongian tri o baentiadau gan Lloyd mewn arddangosfa hynod o bwysig a gynhaliwyd ym Milano yn 1926 dan y teitl *Prima Mostra d'Arte del Novecento Italiano*. Ond, yn ddiamau, y rheswm pennaf dros roi lle amlwg i Lloyd yno oedd, nid dylanwad Ojetti, eithr y safle a enillasai gwaith Llewelyn Lloyd yn hanes y celfyddydau yn yr Eidal yn chwarter cyntaf yr ugeinfed ganrif. Ni wn ai hwn oedd yr arolwg cyntaf a wnaed o gelfyddydau cain yr ugeinfed ganrif yn yr Eidal, fel y mynnai teitl yr arddangosfa, ond yn sicr hwn oedd yr ehangaf.

Treuliasai Llewelyn ei febyd yn ymyl porthladd Livorno, a charai'r môr a phopeth oedd yn gysylltiedig â badau. Gwerthfawrogid ei waith gan forwyr oherwydd cywirdeb ei bortreadau o gychod a llongau o bob math. Nid rhyfedd felly i rai o'i baentiadau gael lle anrhydeddus yn y *Mostra d'Arte Marinara*, arddangosfa o gelfyddyd yn gysylltiedig â'r môr, y bu miloedd yn ymweld â hi yn Rhufain rhwng Rhagfyr 1926 a Chwefror 1927. Yno neilltuwyd pared cyfan i ugain darlun a baentiasai Lloyd ar Ynys Elba. Prynodd Llywodraethwr Rhufain un o'r rhain ar gyfer y *Galleria Mussolini*. Prynwyd un arall gan Volpi, un o weinidogion y goron, ac fe ddilynodd nifer o aelodau seneddol ei esiampl; anodd dweud, wrth gwrs, ai chwaeth bersonol ynteu awydd i gydymffurfio oedd yn gyfrifol am hyn. Sut bynnag am hynny, bu'r beirniaid yn unfrydol yn eu canmoliaeth, a'r canlyniad fu ymateb cwbl eithriadol gan y llywodraeth. Gwahoddwyd Llewelyn Lloyd, Aristide Sartorio (1860-1932) ac Alessandro Pomi (1890-1976) i fynd ar fordaith o amgylch y Môr Canoldir ar longau Ei Fawrhydi, gyda'r bwriad o baentio lluniau o brif longau llynges yr Eidal. Plesiodd y comisiwn hwn Llewelyn yn fawr; esgynnodd ar fwrdd y *Quarto* ym mis Mehefin 1929, a chafodd hwyl ar y daith ac ar ei ymweliadau â phorthladdoedd yn Sbaen, Portwgal a Tripolitania. Arddangoswyd y pum darlun ar hugain a baentiodd yn ystod y fordaith yn yr ystafell arbennig a neilltuwyd i weithiau Llewelyn Lloyd mewn arddangosfa arall o gelfyddyd yn gysylltiedig â'r môr a gynhaliwyd yn Rhufain yn Hydref 1929. Prynwyd sawl un o'r darluniau gan Weinyddiaeth y Llynges ac un gan y Brenin Vittorio

Emanuele III. Cafodd Llewelyn Lloyd fedal arian gan y llywodraeth i gofnodi diolchiadau'r genedl. Nid llai gwerthfawr yn ei olwg oedd plàc hardd o roddwyd iddo fel cofrodd gan swyddogion y llong y cafodd gymaint o hwyl yn eu cwmni yn ystod y daith.

Ar ddechrau'r 1930au yr oedd William Lloyd, mab hynaf Llewelyn, yn rheolwr planhigfa rwber ym Malesia. Trwyddo ef fe ddaeth ei dad i gysylltiad â Raul Bigazzi, Eidalwr a drefnai i gwmnïau ac unigolion cyfoethog yn y Dwyrain Pell gomisiynu gweithiau gan artistiaid o'r Eidal. Ar gais Bigazzi, paentiodd Llewelyn nifer o gartwnau enfawr, a bwriedid i rai ohonynt gael eu defnyddio fel seiliau i waith mosäig mewn palasau preifat neu gyhoeddus. Sonnir am un o'r gweithiau hyn mewn llythyr a ysgrifennodd Llewelyn at ei wraig ar 2 Medi 1932. Ynddo dywed Lloyd ei fod newydd ei orffen wedi pum niwrnod ar hugain o lafur caled, llafur a'i cadwodd ar ei ben ei hun yn eu cartref yn Firenze yn ystod mis Awst, adeg gwyliau'r teulu ar Ynys Elba, ac Elena a'r plant eisoes ym Marciana Marina. Roedd Llewelyn yn amlwg yn fodlon iawn ar y paentiad, ac ymhyfrydai yn y clod a gafodd gan gyfeillion fel De Witt pan ddaethent i'w weld; rhydd adroddiad llawn o sylwadau ei ymwelwyr. Mae'n drueni na roes ddisgrifiad mwy manwl o'r gwaith ei hun, oherwydd dyma ddarlun nad oes modd inni mwyach ei werthfawrogi na'i feirniadu, gan na wyddom lle y mae. Yn sicr, mae'n swnio'n wahanol iawn i dirluniau a phortreadau arferol Llewelyn. Nenfwd ydoedd i ystafell wely fawr, ac y mae Llewelyn yn ceisio dyfalu pa argraff y bydd y perchennog yn debygol o'i chael wrth ddihuno. Ymddengys mai thema glasurol ddigon poblogaidd a ddewisodd i'r paentiad:

> Rwyf fi fy hun yn cydnabod fod yna dipyn o baentio go anghyffredin yn Leda. Mae'r olwg dirion ar ei hwyneb a melfed ei chroen mewn cyferbyniad â gwynder ariannaidd yr alarch yn gyfareddol . . . Yr oedd Coronaro yn dweud heddiw fod y gwaith yn ei grynswth yn foliant ac yn wrogaeth i brydferthwch benywaidd.

Trueni nad oes hyd yn oed ffotograff o'r nenfwd ar gael heddiw.

Mae'n resyn o beth hefyd fod amheuaeth ynglŷn â gwaith arall a wnaethpwyd ar anogaeth Bigazzi, oherwydd mae rhai ffotograffau ar gael o hwnnw, er nad yw'r mosäig ei hun wedi goroesi. Tua 1930 penderfynodd Banc Hong Kong a Shanghai ei bod yn bryd codi adeilad newydd ar gyfer prif swyddfa'r banc yn Hong Kong, ac fe agorwyd hwnnw yn 1935. Yr oedd y gorchymyn a roes prif weithredwr y banc, Syr Vandeleur Grayburn, i'r pensaer, G.L. Wilson, yn gymharol syml ('Y banc gorau yn y byd, os gwelwch yn dda'), ond fe esgorodd ar adeilad eithaf cymhleth a oedd er hynny yn ddigon golygus. Yn anffodus, mae tir yn Hong Kong yn gostus iawn, ac os codwch balas nad oes iddo loriau niferus iawn, hyd yn oed os yw'n lle eithaf cadarn a hardd a phwrpasol, fe fydd rhywun yn siŵr o'i dynnu i lawr er mwyn codi nendwr yn ei le. A dyna a ddigwyddodd i gampwaith Mr Wilson ar ôl yr Ail Ryfel Byd. Dywedir yn llyfr Donzelli ar Llewelyn Lloyd mai ef a baentiodd yn 1933 y cartwnau enfawr ar gyfer y gwaith mosäig a addurnai brif neuadd yr adeilad, ac nid yw Donzelli yn sôn am unrhyw artist arall ynglŷn â'r gwaith. Ond pan ysgrifennais at brif archifydd y banc i ofyn a gawn i weld unrhyw ddogfennau neu luniau a oroesodd parthed cyfraniad Llewelyn, cefais fod yr archifyddion presennol dan yr argraff taw Belorwsiad o Shanghai oedd yr arlunydd a oedd yn gyfrifol am y gwaith yn y brif neuadd, ac fe anfonwyd erthyglau diddorol ataf, un ohonynt yn dwyn y teitl diamwys 'Podgoursky's Ceiling'. Ac ynddynt nid oes sôn am unrhyw Lloyd. Erbyn hyn, yr wyf yn tueddu i gredu y gall fod esboniad syml i'r dirgelwch. Yn yr adroddiad a roes i reolwyr y banc, fe ddywed Bigazzi: 'The original small-scale design was executed by a Russian artist (Mr Podgoursky) who was at the time working for me'. Ac yn nes ymlaen daw yn ôl at y gwaith hwn, gan sôn amdano fel 'the original sketch which measured only about 34" x 18"'. Ond sylwer ar yr hyn a ddywed am y cartwnau:

> It was found impossible to develop the sketches to their final size in an ordinary building such as my workshop in Florence was, and we had to obtain from the Government permission to rent an old unused church which could offer enough wall area . . .

Tybed ai Podgoursky oedd yn gyfrifol am y cynllun cyntaf a Llewelyn Lloyd am baentio'r cartwnau? Yn anffodus, hyd yn hyn nid oes unrhyw brawf gennyf mai felly y bu, ac mae hwn yn gwestiwn sy'n galw am ymchwil bellach. Ond hyd yn oed pe ceid rhywfaint o oleuni ar y cytundebau rhwng Llewelyn a Bigazzi, wrth gwrs, ni allem bwyso a mesur cyfraniad Llewelyn yn deg, gan fod mosäig y nenfwd, fel yr adeilad gan G.L. Wilson yr oedd yn sownd wrtho, wedi ei lwyr ddinistrio. A heblaw am hynny, nid oes hyd yn oed gopi o gynllun gwreiddiol Podgoursky ar gael.

Tra gwahanol fu hynt grŵp o dirluniau a baentiodd Llewelyn Lloyd yn y Maremma yn 1933. Fel yr awgryma'r enw, cysylltir y gair *Maremma* â rhan o arfordir Toscana: deillia o'r Lladin diweddar *maritima*. Ond mae'n dynodi hefyd ran o'r cefnwlad, llawer ohono yn dir corslyd rhwng mynydd a môr ond â thipyn o dir ffermio da ynddo yn ogystal. Yr oedd Llewelyn yn hoff iawn o rai o'r lleoedd mwyaf anghysbell yn yr ardal, ac fe ysgrifennodd ef ei hun am y wefr a gafodd yno ac am y lliwiau a'r goleuni a'i hysbrydolai. Un o'r darluniau a baentiodd yno ar yr ymweliad hwn oedd *Bovi al sole*, 'Ychen yn yr haul', llun sydd erbyn hyn mewn casgliad preifat, ac a brisir yn uchel iawn, fel rhyw hanner dwsin o baentiadau eraill sy'n perthyn i'r un cefndir a'r un cyfnod.

Yn 1938 fe ddaeth William, mab hynaf Llewelyn, yn ôl o Singapôr ar wyliau. Fe benderfynodd ei dad ei bod yn hen bryd iddo yntau hefyd gael seibiant, ac fe benderfynasant y byddai hyn yn gyfle iddynt fynd ar daith yr oedd y ddau wedi breuddwydio yn aml amdani. Fe aethant i'r Alban, Lloegr a Chymru, ac yng Nghymru fe fuont yn ceisio olrhain eu hachau. Erbyn hyn nid oedd ganddynt berthnasau yn y cylch i'w helpu, ond fe wyddent mai yn y pentrefi o amgylch yr Wyddgrug a Helygain y dylent ddechrau chwilio. Yn ôl William, buont yn darllen cofrestri llawer eglwys, ond yr oeddent yn ddibrofiad, ac nid oedd ganddynt ddigon o wybodaeth i fanteisio yn llawn ar yr amser byr a oedd ganddynt. Fe'u syfrdanwyd gan amled y Llwydiaid yn Sir y Fflint. Ac yn amlwg fe barodd syndod i William fod rhai o'r Llwydiaid hyn, mewn cyfnodau cymharol ddiweddar, wedi gorfod defnyddio croes yn hytrach na llofnod yn y dogfennau a ddarllenodd, ond ni ddywed ai Llwydiaid a berthynai yn bendant i'w dylwyth ef oedd y rhain. Sut bynnag, fe lwyddodd William i lunio rhyw fath o amlinelliad o hanes Llwydiaid Hendrefigillt ar sail eu darganfyddiadau, cafodd William a Llewelyn hwyl ar y gwaith, ac yn y blynyddoedd canlynol bu pob aelod o'r teulu yn edrych yn ôl ar yr ymweliad hwn fel diwedd symbolaidd ar gyfnod euraid yn eu hanes. Yr oedd Llewelyn wedi bod yn gofidio oddi ar 1935 am fod cymylau duon uwchben; yn 1938 yr oedd y storm ar fin torri.

DYDDIAU'R GOFIDIAU A'R TRALLOD

Yr oedd meibion Hendrefigillt wedi bod yn ffodus iawn mai yn ystod ail hanner y bedwaredd ganrif ar bymtheg a chwarter cyntaf yr ugeinfed ganrif y buont yn sefydlu ac yn datblygu eu cwmni llewyrchus yn Livorno. Ar y pryd yr oedd y berthynas rhwng gwledydd Prydain a'r Eidal yn un heddychlon ac ar y cyfan yn un hapus; yn amlwg byddai hyn wedi dylanwadu'n drwm ar y modd y trinnid William a Robert Lloyd gan eu cymdogion yn Livorno ac ar y posibiliadau masnachol a fyddai ar gael iddynt. Bu'n ffafriol yn eu tro i'r Eidalwyr a sefydlodd fusnesau yn Lloegr a Chymru a'r Alban. Gwaethygodd y berthynas rhwng y ddwy wladwriaeth yn arswydus yn ystod yr 1930au, yn bennaf oherwydd polisi tramor llywodraeth Ffasgaidd Benito Mussolini, a daeth y rhyfel a gychwynnodd ar ddiwedd y degawd hwnnw ag elfennau trasig i fywydau llawer teulu Eidalaidd ym Mhrydain yn ogystal ag i blant William a Robert yn yr Eidal. Gweithiodd peiriannau propaganda'r ddwy wlad yn ddiwyd i hybu teimladau gelyniaethus ac i ddistrywio unrhyw barch a deimlai dinasyddion y ddwy deyrnas tuag at ei gilydd. Ceisiwyd newid y ddelwedd o'r Prydeiniwr a fodolai yn yr Eidal a'r ddelwedd o'r Eidalwr a fodolai ym Mhrydain.

Gan ein bod ni i gyd wedi cael ein cyflyru i raddau gan bropaganda'r rhyfel hwnnw, a chan ethos yr holl ffilmiau a rhaglenni teledu y buwyd yn eu cynhyrchu am hanner canrif yn ei sgil, mae'n werth inni gofio am eiliad am un neu ddau o'r cysylltiadau gwahanol iawn a fu gynt yn lliwio meddyliau ein cydwladwyr. Yng Nghymru'r bedwaredd ganrif ar bymtheg buasai arwyr y frwydr genedlaethol yn yr Eidal yn fawr eu parch. I Telynog, Garibaldi oedd

> Yr arwr dewraf fu erioed
> A thân gwladgarwch ynddo'n fflamio . . .

a bu darlith faith Hiraethog arno yn bur boblogaidd. Bu Hiraethog hefyd yn gohebu â Mazzini, gŵr arall a fu yn dra phoblogaidd gyda rhyddfrydwyr Lloegr a Chymru. Yng Nghymru bu ei neges ef yn fwy dylanwadol nag esiampl Garibaldi. Fe geisiwyd cymhwyso syniadau Mazzini at y sefyllfa Gymreig, a bu'n ffefryn ymhlith cefnogwyr Cymru Fydd. Yn ôl Tom Ellis, Thomas Davis a Mazzini oedd ei ddau 'athraw gwleidyddol a chenedlaethol'. Bu Lloyd George yntau yn barod iawn i gydnabod dylanwad yr Eidalwr arno. Daeth Dr Thomas Jones yn agos at addoli Mazzini yn ystod ei ieuenctid; aeth cyn belled â dyfeisio math o seremoni briodas a oedd ar yr un pryd yn Ruskinaidd a Mazzinaidd ar gyfer ei briodas ei hun. Yn 1907 golygodd gyfrol o gyfieithiadau i'r Saesneg o weithiau gan Mazzini ar gyfer Everyman's Library. Ond yn y diwedd cefnodd Jones ar rai o ddaliadau Mazzini oherwydd yr elfen genedlaethol ynddynt: wedi gweld canlyniadau cytundeb Versailles, fe amheuai ef briodoldeb caniatáu ymreolaeth i bob cenedl a fynnai hynny. Yr oedd adwaith eraill yn bur wahanol. Dywedodd Dyfnallt wrthyf iddo dreulio ei noswaith gyntaf yn yr Eidal yn eistedd wrth fedd Mazzini ym mynwent Staglieno: iddo ef yr oedd y neges genedlaethol a gafodd yng ngweithiau Mazzini yn destun edmygedd. Ond nid dyna'r unig neges a ddarganfu'r Cymry yn ei lyfrau. Cymro Cymraeg, Gwilym O. Griffith, a gyhoeddodd ar ddechrau'r 1930au y gyfrol fwyaf sylweddol ar berthnasedd syniadau Mazzini i ddelfrydau Ewropeaidd yr ugeinfed ganrif yn ei *Mazzini: Prophet of Modern Europe*. Ac yn Gymraeg cafwyd teyrnged cenedlaetholwr arall i Mazzini mor ddiweddar â 1954 mewn cyfrol fechan gan D.J. Williams, Abergwaun.

Yn Lloegr, enynnodd y Risorgimento yn yr Eidal frwdfrydedd eang yn y bedwaredd ganrif ar bymtheg; erys enw Garibaldi ar ambell dŷ tafarn ac ar fath o fisgïen i'n hatgoffa o hynny hyd heddiw! Wrth gwrs, ers ymhell cyn y Risorgimento, ymhlith lleiafrif o ddeallusion ym Mhrydain perchid diwylliant yr Eidalwyr a'u cyfraniadau i lenyddiaeth, cerddoriaeth a'r celfyddydau cain yn Ewrop, ac fe barhâi'r ymagwedd honno hefyd i ddylanwadu ar wleidyddion llythrennog fel Gladstone. Ar ben hynny, bu'r Eidal yn ymladd gyda Ffrainc a Phrydain yn erbyn yr Almaen yn ystod y Rhyfel Byd Cyntaf. Nid gormodiaith felly oedd dweud bod traddodiad o gyfeillgarwch wedi bodoli rhwng llywodraeth yr Eidal a llywodraeth Prydain cyn dyfodiad Mussolini. Eto i gyd, yr oedd gwahaniaethau sylweddol yn safleoedd y ddwy, ac yr oedd un o'r gwahaniaethau hyn wedi corddi ymennydd Mussolini. Fel canolfan gwareiddiad yr oedd yr Eidal yn hen iawn, ond fel gwladwriaeth yr oedd yn newydd, a phan gyrhaeddodd y maes rhyngwladol yn negawdau olaf y bedwaredd ganrif ar bymtheg, yr oedd braidd yn hwyr ar gyfer y ras i ennill trefedigaethau yn Affrica. Byddai Mussolini wedi bod wrth ei fodd yn efelychu Prydain a Ffrainc ac yn lluchio lliwiau ei wladwriaeth ymhell ac agos dros fap y cyfandir hwnnw, ond erbyn ei amser ef yr oedd y rhannau mwyaf goludog eisoes ym meddiant gwledydd eraill yn Ewrop, ac yr oedd y tiroedd dan reolaeth yr Eidal, yn Libya ac Eritrea a Somalia, braidd yn bitw yn ei olwg. Un o'r ychydig leoedd ar ôl oedd Ethiopia; yr oedd hefyd yn gymharol gyfleus i Eritrea a Somalia. Mae'n debyg fod Mussolini wedi bod yn bwriadu ymosod ar Ethiopia oddi ar 1932, er mai ffrwgwd yn 1934 a ddefnyddiwyd ganddo fel esgus. Fe aeth ei fyddin i mewn i'r wlad yn 1935. Condemniwyd y weithred hon gan Gynghrair y Cenhedloedd, ac fe benderfynwyd gweithredu sancsiynau cosbedigaethol yn erbyn yr Eidal.

Cyhoeddasid eisoes lawer o bropaganda yn yr Eidal yn erbyn democratiaeth ac yn erbyn y gwledydd yr ystyrid eu bod yn wledydd democrataidd. O 1935 ymlaen bu'r ymosodiadau ar Ffrainc a Phrydain yn arbennig o ffyrnig, am eu bod hwy wedi bod yn flaenllaw yn y trafodaethau a arweiniodd at benderfyniadau Cynghrair y Cenhedloedd. Fel yr ymbellhâi Mussolini oddi wrth Brydain a Ffrainc, closiai fwyfwy at Hitler, a ddaethai i rym yn yr Almaen yn 1933, ac o 1936 ymlaen bu milwyr o'r Almaen a'r Eidal yn gydryfelwyr wrth iddynt gefnogi ymgyrch Franco yn erbyn llywodraeth ddemocrataidd Sbaen. Yn y wasg Ffasgaidd bellach clodforid rhyfel fel rhywbeth a oedd yn gynhenid dda; daliai Mussolini y byddai ymladd, a cholli dynion ifainc wrth wneud hynny, yn lles i'w genedl ac yn fodd i'w chaledu.

Bu'r gwallgofrwydd hwn yn destun tristwch a gofid mawr i Llewelyn Lloyd. Pan gynigiwyd aelodaeth o Academi Frenhinol yr Eidal iddo yn 1935 ar yr amod ei fod yn derbyn dinasyddiaeth Eidalaidd, gwrthododd. Ni feddyliai mab William Lloyd Hendrefigillt amdano'i hun fel Eidalwr, er mai Eidaleg oedd yr iaith a siaradai orau, a sylweddolai fod y rhyfelgarwch newydd a amlygid gan lywodraeth y wlad yn fygythiad arswydus i'w deulu. Yr oedd ei fab hynaf, William Lloyd, yn ddeiliad Prydeinig, fel Llewelyn ei hun, ac yn gweithio yn Singapôr. Yr oedd Llewelyn hefyd wedi cofrestru genedigaeth ei unig ferch, Gwendolen, yn llysgenhadaeth Prydain yn Rhufain, ond yr oedd ei statws hi wedi newid pan briododd ag Eidalwr. Ychwanegwyd at bryder ei thad a'i mam pan benderfynodd hi a'i gŵr fynd i fyw yn un o drefedigaethau'r Eidal yn Affrica. A beth yn y byd a ddeuai o'i fab arall, Roberto? Nid oedd Llewelyn wedi cofrestru ei enedigaeth ef yn llysgenhadaeth Prydain, ac ofnid y byddai oherwydd hynny yn cael ei alw i wasanaethu ym myddin yr Eidal.

Gan fod pob math o gyfarfod erbyn hynny yn dueddol o droi yn esgus i rywun draddodi pregeth Ffasgaidd, ryfelgar neu estrongasaol, fe ymwadodd Llewelyn yn llwyr â bywyd cyhoeddus. Yn Firenze, symudodd i fflat yn Piazza Cavour; yr oedd hon ar lawr uchaf yr adeilad, ac yr oedd yn rhaid dringo dros gant o risiau cyn cyrraedd ei ddrws. Ond prin iawn bellach oedd ei ymweliadau â Firenze; aeth i fyw bron yn gyfan gwbl yn y tŷ ar Ynys Elba a fuasai gynt yn dŷ haf yn unig. Ac yno, yn hedd cymharol Elba, paentiai bob dydd a thrwy'r dydd . . . a thrwy'r flwyddyn. Yr oedd hyn yn newid: ers yn agos i bymtheng mlynedd buasai Llewelyn Lloyd yn ffigwr cyhoeddus tra adnabyddus yn Firenze, ac yr oedd wedi bod yn ymwelydd cyson ag arddangosfeydd mewn dinasoedd eraill. Heb yr un amheuaeth, bu ei ymgais i gilio o'r byd yn fanteisiol o ran cyhyrchiant: i'r cyfnod rhwng 1935 a diwedd 1938 perthyn dros gant a thri deg o'i baentiadau. Ond ni fu yn gyfnod esmwyth.

Yr oedd y gwaethaf eto i ddod. Yn ystod hanner cyntaf 1939 clafychodd Elena, gwraig Llewelyn, ac ym mis Mehefin bu farw. Trwy gydol eu bywyd priodasol Elena oedd ei brif gwmni, ac yn ystod ei blynyddoedd olaf, ar Ynys Elba, ei unig gwmni am fisoedd ar y tro. Yn unol ag arferion y cyfnod, hi oedd yn gyfrifol am drefnu popeth yn y cartref, ac yr oedd wedi derbyn yn llawen gryn dipyn o'r cyfrifoldeb o godi'r plant. Hebddi teimlai Llewelyn yn amddifad ac yn unig. Yr oedd Gwendolen erbyn hyn wedi ymsefydlu yn Affrica a William yn y Dwyrain Pell. Ac yr oedd Roberto newydd gael gwybodaeth bendant gan yr awdurdodau ynglŷn â'i wasanaeth milwrol: caniateid iddo orffen ei gwrs mewn pensaernïaeth ym Mhrifysgol Firenze, ond byddai'n cael ei alw i'r fyddin cyn gynted ag y byddai wedi derbyn ei radd er mwyn ei baratoi i fod yn swyddog mewn catrawd o beirianwyr.

Nid oedd y newyddion o Livorno yn gysurlon ychwaith. Yr oedd polisïau 'hunangynhaliol' a senoffobig y Ffasgiaid wedi gwneud gwaith Edward Lloyd (mab i Robert Hendrefigillt a chefnder i Llewelyn), pennaeth presennol William Lloyd a'i Gwmni, yn anodd dros ben: teimlai fod y busnes o dipyn i beth yn cael ei wasgu i farwolaeth. Pan dorrodd y rhyfel allan ym mis Medi 1939, rhagwelai Edward y byddai Mussolini yn ymuno â Hitler yn fuan. Yn y cyfamser yr oedd yn bosibl i ddeiliad Prydeinig symud yn ôl ac ymlaen rhwng yr Eidal a Phrydain. Penderfynodd Edward achub y cyfle i ddiddymu'r cwmni yn gyfan gwbl a 'dychwelyd' i Brydain, gyda'r bwriad o gael ymuno â'r fyddin Brydeinig mewn pryd i ymladd yn erbyn Mussolini. Llwyddodd i adael yr Eidal yn gynnar yn 1940. Ym mis Mai, a Ffrainc ar fin cwympo i ddwylo'r Almaenwyr, cyhoeddodd Mussolini fod yr Eidal hefyd yn rhyfela yn erbyn Ffrainc a Phrydain. Glaniodd Edward yn neheudir yr Eidal, fel aelod o fyddin y Cynghreiriaid, yn 1943, a gwelodd lawer iawn o ymladd cyn cyrraedd Trieste yn 1945. Yn y flwyddyn honno gadawodd y fyddin ac aeth yn ôl i fyd busnes, ond nid yn Livorno.

Am yn agos i ddwy flynedd ar ôl marwolaeth Elena cwynai Llewelyn ei fod yn methu'n llwyr â gweithio'n gyson, yn ôl ei arfer; yn wir, dengys y rhestr o'i baentiadau na chyflawnodd fawr ddim o werth tan 1942, pryd yr ailgydiodd o ddifrif yn ei waith. Yn y cyfamser, yr oedd wedi symud yn ôl i Firenze, lle y gallai dreulio mwy o amser gyda Roberto. Erbyn hyn, yr oedd yn ymwybodol o fod tan wyliadwriaeth gyson a manwl gan yr heddlu cudd.

A Robert wedi graddio, fe'i gwysiwyd i ymuno â'r fyddin, ac ar ôl cyfnod byr o hyfforddiant fe'i hanfonwyd i Sicilia fel swyddog gyda'r peirianwyr. Drwy drugaredd yr oedd yn digwydd bod ar neges yng ngogledd yr Eidal pan laniodd y Cynghreiriaid yn Sicilia yn 1943.

Bellach yr oedd yr Eidal wedi colli pob tiriogaeth a berthynasai i'w hymerodraeth yn Affrica, ac yn fuan iawn yr oedd Prydeinwyr ac Americaniaid wedi goresgyn Sicilia ac yn paratoi'r ynys honno i fod yn safle ar gyfer ymosod ar weddill yr Eidal. Yn ystod y nos rhwng y 24 a'r 25 o Orffennaf y flwyddyn honno fe fentrodd aelodau'r cyngor a reolai'r Eidal dan Mussolini, sef y *Gran Consiglio*, fwrw pleidlais o ddiffyg hyder yn y Prif Weinidog. Gwrthododd Mussolini ymddiswyddo: taerai taw corff ymgynghorol yn unig oedd y cyngor. Ond am chwech o'r gloch yn y bore ar y pumed ar hugain yr oedd y brenin eisoes yn gwybod am y gwrthryfel a ddigwyddasai ymhlith y Ffasgiaid yn ystod y nos a gwelodd ei gyfle: cyn canol dydd yr oedd wedi penodi Badoglio yn Brif Weinidog. Llwyddwyd i restio Mussolini yn bur ddidrafferth yr un diwrnod.

Nid un o elynion y Ffasgiaid oedd Badoglio, ond yn hytrach cadfridog a oedd wedi dal swyddi pwysig dan lywodraeth Mussolini, ac fe gyhoeddwyd bod yr Eidal yn parhau i ymladd ochr yn ochr â'r Almaen. Ni thwyllwyd yr Almaenwyr. Yn y pum niwrnod a deugain rhwng cwymp Mussolini a'r cadoediad rhwng y llywodraeth newydd a'r Cynghreiriaid, a arwyddwyd ar 3 Medi, treblwyd lluoedd yr Almaenwyr yn y rhannau hynny o'r Eidal nad oeddynt eisoes ym meddiant y byddinoedd Eingl-Americanaidd. Pan laniodd y Cynghreiriaid yn Calabria a Salerno, fe gyfeiriodd y Cadfridog Kesselring ei fyddin tuag at Rufain, gan orfodi llywodraeth newydd yr Eidal i ffoi i'r De ac i ymsefydlu yn Brindisi. Ar 12 Medi llwyddodd mintai o Almaenwyr i gipio Mussolini o'r cadarnle lle y'i carcharwyd gan yr Eidalwyr.

Yn 1944 diwygiwyd llywodraeth Badoglio er mwyn cynnwys ynddi hen elynion i'r Ffasgiaid, rhai ohonynt newydd gyrraedd yn ôl wedi blynyddoedd o alltudiaeth. Am weddill y rhyfel bu gan yr Eidal ddwy lywodraeth, un wrth-Ffasgaidd yn ymladd gyda'r Cynghreiriaid yn y De, a'r llall, llywodraeth newydd Mussolini, yn dal i gefnogi'r Almaenwyr yn y Gogledd, a bu'n rhaid i'r wlad ddioddef canlyniadau rhyfel cartref creulon yn ogystal â distryw'r rhyfel rhyngwladol a symudai yn araf o un pen o'r wlad tuag at y llall. Ym mis Ionawr 1944 llwyddodd y Cynghreiriad i lanio yn Anzio. Ym mis Mai cwympodd Cassino i'w dwylo, a gorfodwyd i'r Almaenwyr dynnu'n ôl o linell yr oeddynt wedi ei hamddiffyn am rai misoedd. Rhyddhawyd Rhufain ym mis Mehefin. O safbwynt gwleidyddol, bu adennill y brifddinas o bwys mawr: cymerodd Bonomi le Badoglio fel Prif Weinidog, a phenodwyd llywodraeth lawer mwy cynrychioliadol. Cymerwyd Firenze ym mis Awst 1944, ond wedi hynny fe lwyddodd yr Almaenwyr i sefydlogi safleoedd eu milwyr ar gyfer y gaeaf ar hyd llinell a ymestynnai o La Spezia i Rimini.

Pan gwympodd Mussolini, yr oedd Roberto Lloyd yn mwynhau wythnos o seibiant o'r fyddin yn Firenze. Fel miloedd o Eidalwyr eraill, penderfynodd na fyddai'n dychwelyd at ei ddyletswyddau militaraidd yn y De ond, hyd hynny, nid oedd unrhyw gadoediad wedi ei drefnu. Diflannodd am gyfnod i'r mynyddoedd. Ar ôl mis neu ddau, tybiai y byddai'n ddiogel iddo fynd yn ôl i fflat ei dad yn Firenze. Yno ar 4 Chwefror 1944 restiwyd Llewelyn a Roberto, ac ar yr ail ar hugain o'r mis hwnnw fe'u symudwyd i wersyll-garchar yn Fossoli.

Yr oedd sefyllfa Llewelyn, o leiaf, yn eglur: er ei fod wedi cael ei eni a'i fagu yn yr Eidal, yr oedd yn ddeiliad Prydeinig yn byw yn y rhan o'r Eidal a oedd o hyd yn rhyfela yn erbyn Prydain a'i chynghreiriaid. Ni synnai felly o'i gael ei hun yng nghwmni Saeson ac Americanwyr mewn gwersyll i estron-elynion. Yr oedd statws Roberto yn fwy o ofid. Yn ôl y mwyaf ffyrnig o aelodau'r heddlu cudd, dylid ei drosglwyddo i'r fyddin a'i saethu fel enciliwr. Ond dadleuai Llewelyn ei fod yn perthyn i'r un genedl â'i dad, ac os oedd ei dad yn cael ei garcharu fel estron-elyn, yna ni ellid yn rhesymegol drin Roberto fel Eidalwr. Ymddangosai fel petai'r awdurdodau wedi derbyn y ddadl hon am y tro, ond parhâi'r sefyllfa yn ansicr.

Yr oedd Roberto newydd briodi, ac yr oedd ei briod, Luisa Motti, yn dueddol i leisio'i barn yn ddiflewyn-ar-dafod. Yr oedd yn anodd dros ben iddi deithio o Firenze i Fossoli i ymweld â'i gŵr; erbyn blynyddoedd olaf y rhyfel diflanasai'r dulliau teithio arferol bron yn gyfan gwbl. A phan lwyddai Luisa i gyflawni'r siwrne, ni châi bob amser fynediad i'r gwersyll ar y diwrnodau a benodasid ar gyfer ymwelwyr. Yn ystod ffrae a ddilynodd brotest ganddi, dywedodd y byddai'n well ganddi fod yn y carchar ei hun na chael ei thrin yn y fath fodd. Fe'i restiwyd yn y fan a'r lle a'i chadw gyda'i gŵr. Nid oedd hyn yn ddrwg ganddi o gwbl, ond nid oedd i bara'n hir. Ym mis Mehefin 1944 cyrhaeddodd byddinoedd y cynghreiriaid gyrion Firenze. Erbyn hyn yr oedd yr Almaenwyr yng ngogledd yr Eidal yn ceisio cymryd yr awenau i'w dwylo eu hunain ym mhob dim, ac yn trin yr Eidalwyr nid fel cynghreiriaid, ond fel trigolion y gwledydd eraill a oresgynnwyd ganddynt. Aeth si drwy'r gwersyll eu bod ar fin gwneud hynny yng ngwersyll Fossoli hefyd, am na allent mwyach ymddiried yn y swyddogion Eidalaidd a'u rheolai. Mentrodd Roberto ofyn i un o'r swyddogion mwyaf caredig yn y gwersyll a oedd hyn yn wir, a chafodd glywed ei fod. Gwyddai'n burion nad oedd yn debygol o oroesi misoedd olaf y rhyfel mewn gwersyll tan reolaeth yr Almaenwyr. Gydag ychydig o help gan y swyddog Eidalaidd, fe lwyddodd ef a Luisa i ffoi unwaith eto i'r mynyddoedd. Yr oedd Llewelyn yn rhy hen i wynebu bywyd garw yno, ac nid oedd ei statws yn y gwersyll mor beryglus.

Cyrhaeddodd yr Almaenwyr. Symudwyd Llewelyn Lloyd a'r estron-elynion eraill a oedd dros drigain mlwydd oed i wersyll-garchar arall yn Laufen (Bafaria), lle cawsant eu trin yn eithaf teg, ac ystyried y sefyllfa. Ni fu'r Iddewon yng ngwersyll Fossoli mor ffodus; fe'u hebryngwyd gan yr SS i wersylloedd pur wahanol. Ond os bu Llewelyn yn gymharol lwcus yn gorfforol, yr oedd y bagad o bryderon erbyn hyn yn drwm. Gwyddai fod ei fab hynaf, William, fel eraill o blanigfäwyr Singapôr, wedi bod yn aelod o fath o fyddin cartref, a'i fod oddi ar 1942 yn garcharor militaraidd yn nwylo'r Japaneaid; ni chawsai unrhyw newydd arall amdano. Yr oedd Gwendolen yn Ethiopia gyda'i gŵr pan oresgynnwyd y wlad honno gan y fyddin Brydeinig. Anfonwyd ei gŵr i wersyll yn Rhodesia, ond trefnwyd iddi hi, ar ôl rhyw ddeufis mewn gwersyll yn Berbera, ddychwelyd i'r Eidal yn un o longau'r Groes Goch. Nid arhosodd yn hir yn fflat Llewelyn yn Firenze am ei bod wedi sylweddoli ei fod ef erbyn hynny dan wyliadwriaeth drylwyr. Fe aethai hi felly i aros gyda chyfeilles yn Settignano, dair neu bedair milltir o ganol y ddinas, ac yr oedd y pentref hwnnw erbyn hyn yn y Tir Neb rhwng y llinell yr oedd yr Almaenwyr yn ei hamddiffyn a byddin y Cynghreiriaid. A Roberto? Gobeithiai Llewelyn fod Roberto wedi llwyddo i gilio i ryw le anghysbell yn y mynyddoedd; pe cipid ef eto, prin y gellid disgwyl iddo oroesi, ac yntau wedi bod yn enciliwr o'r fyddin ac yn ffoadur o'r carchar. Ar y llaw arall, nid oedd Luisa wedi cyflawni unrhyw drosedd o bwys: efallai y gallasai hi fynd yn ôl i gartref ei rhieni yn Piacenza. Mentrodd Llewelyn ysgrifennu llythyr ati yno. Nid oedd wedi derbyn unrhyw ateb pan ddaeth y rhyfel yn Ewrop i ben ym mis Mai 1945.

Rhyddhawyd Llewelyn gan y fyddin Eingl-Americanaidd a gyrhaeddodd Laufen yn fuan iawn ar ôl y cadoediad, ond fe aeth tri mis heibio cyn i'r carcharorion gael mynd i'w cartrefi. Yn y cyfamser fe lwyddodd Llewelyn i brynu cyfarpar ac i baentio cyfres o luniau dyfrlliw o Laufen a'r cylch, rhywbeth nas caniatawyd pan oedd yn un o'r estron-elynion! Ym mis Medi yr oedd unwaith eto yn Firenze. A'r rhyddhad mwyaf oedd clywed bod ei blant yn dal yn fyw, er bod y ddau fab wedi dod yn agos iawn at golli eu bywydau. Cafodd y newyddion da am Gwendolen, Roberto a Luisa ar unwaith, ond bu'n rhaid aros am fis eto cyn cael clywed bod William yn ddiogel.

Yr oedd Oscar Ghiglia, cyfaill oes, wedi marw ychydig fisoedd cyn i Llewelyn gyrraedd, ond yr oedd teulu Ghiglia a chyfeillion da eraill yn fawr eu croeso. Cafodd Llewelyn a'i ferch Gwendolen wahoddiad i fyw am rai misoedd yn nhŷ un ohonynt, Roberto Papini, i fyny yn

Settignano, uwchlaw Firenze, tra byddid yn paratoi cartref newydd iddynt yn Via Lorenzo il Magnifico. Ac yno, yn Settignano, ar anogaeth Papini, yr ysgrifennodd Llewelyn y llyfr *Tempi andati*. Golygwyd y gyfrol gan Papini, ac fe'i cyhoeddwyd ddwy flynedd ar ôl marw'r arlunydd. Ailagorwyd cartref y Llwydiaid ar Ynys Elba, Tŷ'r Pomgranadwydd yn Marciana Marina, yn 1946, ac o 1947 ymlaen barnai Llewelyn ei fod wedi cael adferiad digon da i geisio dilyn ei batrwm arferol o fyw ac o weithio: Elba yn yr haf a rhan o'r hydref, a Firenze yn ystod gweddill y flwyddyn.

Ym mis Awst 1946 cyrhaeddodd William yn ôl o'r Dwyrain Pell, a bu cryn orfoleddu yn *casa Lloyd* pan briododd ef â Deslys Foglia yn 1947.

Yn ystod haf 1949 ar Ynys Elba gellid meddwl bod Llewelyn Lloyd wedi adennill nid yn unig ei arferion gweithgar, ond hefyd ei ynni; ysgrifennodd at ei gyfaill Walfredo della Gherardesca i ddweud ei fod unwaith eto yn teimlo'n ifanc. Aeth yn ôl i Firenze ddiwedd mis Medi gyda'r deuddeg cynfas yr oedd wedi eu cwblhau ar yr ynys, yn fodlon iawn ar gynhaeaf y tymor. Yr oedd arno ychydig o fronceitis, ond nid oedd yn gofidio yn ei gylch. Yna, ar ddiwrnod cyntaf Hydref, cafodd drawiad ar y galon, a bu farw'n ddisyfyd.

RHWNG DWY WLAD . . . NEU DAIR . . .

Pan lwyddodd Roberto Lloyd a Luisa ei wraig i ffoi o wersyll-garchar Fossoli, yr oedd gogledd yr Eidal o hyd dan lywodraeth yr Almaenwyr a'r gwleidyddion Eidalaidd hynny a oedd wedi dal i gefnogi Mussolini a'r Ffasgwyr. Yn ystod misoedd olaf y rhyfel, gwaethygai'r anhrefn yno o ddydd i ddydd. Erbyn hynny, nid lluoedd y cynghreiriaid yn symud yn araf i fyny tua gogledd yr Eidal oedd prif ofid arweinwyr yr Almaenwyr yn Berlin; yr oedd y bygythiad i diriogaeth yr Almaen ei hun, oddi wrth y byddinoedd a laniasai yn Ffrainc ac oddi wrth y Rwsiaid a oedd wedi erlid milwyr yr Almaen o wledydd Dwyrain Ewrop, yn mynnu eu sylw a'u hadnoddau, a phrin y gellid disgwyl iddynt allu atgyfnerthu eu safleoedd yn yr Eidal pan oedd gelynion eisoes ar dir yr Almaen ei hun. Manteisiwyd ar sefyllfa anodd yr Almaenwyr yn yr Eidal gan y *partigiani;* mentrodd grwpiau ohonynt ddisgyn o'r mynyddoedd i osod bomiau ar reilffyrdd yr oedd yr Almaenwyr yn debygol o'u tramwyo, neu i ddistrywio pontydd a oedd yn ddefnyddiol i'w milwyr. Yn ddiamau, yr oedd rhai o'r *partigiani* hyn yn awyddus iawn hefyd i ddial ar gydwladwyr a oedd wedi bod yn ormeswyr yn y cyfnod Ffasgaidd neu a oedd yn dal i ochri gyda'r Almaenwyr a'r awdurdodau Ffasgaidd. Oherwydd chwerwder y rhyfel cartref rhwng Ffasgwyr a gwrth-Ffasgwyr, yr oedd teithio trwy bentrefi nad oeddech yn eu hadnabod yn beryglus dros ben: gallai rhywun oedd yn eich amau eich bradychu a'ch trosglwyddo naill ai i'r Ffasgiaid neu i garfan o'u gelynion.

Fe wyddai Roberto a Luisa mai mympwy ceidwad yng ngwersyll-garchar Fossoli oedd yn gyfrifol am restio Luisa; barnent na fuasai unrhyw gofnod perthynol iddi gan yr awdurdodau y tu allan i'r gwersyll yno, gan nad oedd wedi cyflawni unrhyw drosedd o bwys. Tybient felly taw'r peth callaf iddi hi ei wneud fyddai mynd adref at ei rhieni yn Piacenza. Fe wnaeth hynny. Ar ôl rhyw ddeufis, a hithau heb gael ei herlid gan yr heddlu, daethant i'r casgliad y gellid cuddio Roberto yntau yn nhŷ ei rhieni hi. Ac y mae'n bosib y byddent wedi llwyddo i wneud hynny tan ddiwedd y rhyfel . . . oni bai am lythyr Llewelyn. Yr oedd ef yn ei wersyll newydd yn Laufen hefyd o'r farn y byddai Luisa'n ddiogel yng nghartref ei rhieni ac roedd wedi ysgrifennu ati yno. Petai ef wedi defnyddio'r cyfenw Motti, sef ei chyfenw cyn priodi, mae'n annhebyg y byddai'r heddlu wedi cael gwybod am hynny; nid oeddynt yn chwilio amdani, ac nid yw'r enw yn anghyffredin. Ond yr oedd yr awdurdodau'n chwilio am Roberto Lloyd, ac yr oedd yr enw Lloyd yn ddigon anarferol i ryw weithiwr yn swyddfa'r post gofio ei fod ar restr o bobl yr oedd yr heddlu'n awyddus i ddod o hyd iddynt. Fe gafodd Luisa Lloyd ei llythyr, ond fe aethpwyd â'i gŵr o dŷ ei rhieni hi i'r carchar yr un diwrnod. Y tro hwn yr oedd y rhagolygon yn ddu. Ond yr oeddent hefyd yn newid o ddydd i ddydd. Nid cynt yr oedd Roberto wedi cynefino â'r syniad y byddid yn ei saethu nag y daeth ei garcharwyr i'r casgliad eu bod hwy wedi colli'r rhyfel. Ac yr oedd rhai ohonynt yn gobeithio y byddai geirda ganddo ef yn help i'w hachub pan gyrhaeddai byddin y cynghreiriaid. Yr oedd ambell un yn eu plith hefyd yn gweddïo y byddai'r Eingl-Americaniaid yn cyrraedd ac yn sefydlu rhyw fath o drefn cyn y delai'r *partigiani* i lawr o'r mynyddoedd i ddial ar eu gelynion politicaidd. Rhyddhawyd Roberto yn brydlon ddydd y cadoediad yn Ewrop ym mis Mai 1945. Bellach teimlai rhai o'r Ffasgwyr y dylent hwy ddiflannu am gyfnod. Gwelodd Roberto fod y rhod o'r diwedd wedi troi.

Y mae'r rhod wedi troi sawl gwaith yn ystod oes hir Margaret Lloyd Cricchio, merch Robert Hendrefigillt. Ganed hi yn 1910 pan oedd Robert yn ddwy a thrigain mlwydd oed. Cafodd fywyd diogel ac esmwyth pan yn blentyn, ond bu marwolaeth y tad a addolai yn ergyd echrydus iddi pan oedd yn dair ar ddeg oed. Ar ôl ei farwolaeth, parhaodd amgylchiadau materol y teulu yn gysurus, ac fe gafodd Margaret gyfnod hapus iawn eto ar ôl priodi yn 1935 â Francesco Cricchio, meddyg yn Livorno. Cawsant ddau o blant: Guido, a aned yn 1937, a Francesca, a aned yn 1938.

Fel ei brawd Edward, yr oedd Margaret wedi dechrau pryderu yn y 1930au pan waethygodd y berthynas rhwng yr Eidal a Phrydain, ond ar y cyfan bu ei dehongliad hi o'r sefyllfa yn llai pesimistaidd na disgwyliadau Edward. Teimlai ef yn sicr o 1935 ymlaen y byddai polisïau rhyfelgar Mussolini yn arwain yr Eidal i ddistryw, a phan gychwynnodd y rhyfel rhwng yr Almaen a Phrydain yn 1939, rhagwelai Edward y byddai Mussolini yn rhwym o ddilyn Hitler yn fuan; caeodd fusnes y teulu yn Livorno ac aeth i Loegr i ymuno â'r fyddin er mwyn ymbaratoi ar gyfer y frwydr i ddisodli'r Ffasgiaid yn yr Eidal. Yn wahanol i'w brawd, nid oedd Margaret yn Brydeinig; yn sgil ei phriodas â Francesco Cricchio, yr oedd yn swyddogol yn Eidales, ac yr oedd wedi dal i obeithio hyd y funud olaf y byddai'r Eidal yn ymwrthod. Pan gyhoeddodd Mussolini ym mis Mai 1940 fod yr Eidal hithau bellach yn ymladd yn erbyn Prydain a Ffrainc, bu'n ysgytwad garw iddi: 'Nid oeddwn wedi breuddwydio y gallai wneud y fath beth,' meddai wrthyf. Yn fuan wedi hynny, bu'n rhaid i'w gŵr ymuno â byddin yr Eidal a'i gadael hi a'u dau blentyn bach yn Livorno. Pan rannwyd yr Eidal yn ddwy ran gan yr ymladd, bu am amser hir heb newyddion am ei brawd a'i gŵr, ond er cymaint ei gofid amdanynt, ei hofn mwyaf ar y pryd oedd y câi ei phlant eu lladd, oherwydd roedd Livorno yn un o'r lleoedd mwyaf peryglus yn yr Eidal. Barnai'r Almaenwyr fod y porthladd yn gwbl angenrheidiol i'w lluoedd arfog ac y dylid troi'r ddinas yn fath o gadarnle, a'i hamddiffyn hyd yr eithaf. Ymateb yr Americanwyr oedd ceisio dinistrio'r gelyn o'r awyr cyn cymryd y ddinas yn 1944. Bu misoedd pan orfodwyd Margaret i lusgo'r plant i ryw guddfan bob nos ac i anghofio pob gweithgaredd arall er mwyn ceisio sicrhau eu bod yn goroesi.

Bu llid ac atgasedd yn Livorno am flynyddoedd o ganlyniad i'r bomio: barnai rhai o'i dinasyddion fod y bomwyr Americanaidd wedi bod yn hollol ddidrugaredd ac na ellid cyfiawnhau dinistrio cymaint o'r dref ac yn enwedig gynifer o dai annedd. Yr wyf yn cofio morwr o'r Unol Daleithiau yn cwyno'n druenus am y croeso gwael a gâi yn y porthladd tua dechrau'r pumdegau. 'Ydych chi'n sylweddoli,' gofynnodd i mi, 'sut y byddwn ni'n teimlo pan fydd tri neu bedwar ohonom ni'n mynd i mewn i sinema a chwarter neu draean o'r bobl yno yn codi a mynd allan?' Wrth gwrs, pan ddywedodd hyn, yr oedd y Comiwnyddion yn lluosog iawn yn Livorno, a gellid priodoli'r driniaeth a gâi yn rhannol i'r rhyfel oer rhwng yr Unol Daleithiau a Rwsia. Eto i gyd, yr oedd cof am y cyrchoedd awyr yn ddiamheuol yn elfen gref yn y sefyllfa. O gofio'r teimladau cymysg ar y pryd (y diolchgarwch diffuant am ryddhad o ormes y Ffasgwyr a'r dicter a achoswyd gan y dinistr), gellir efallai ddeall syndod y Llwydiaid yn Livorno a Firenze pan ddaeth swyddog ifanc caredig o'r fyddin Americanaidd heibio yn dilyn y cadoediad i weld a oedd y teulu yn iawn; esboniodd ei fod yn un o wyrion Mary Lloyd Hendrefigillt, chwaer William a Robert, y ferch a briododd John Hughes ac a ymfudodd gydag ef i Fond-du-Lac, Wisconsin. Cafodd llawer teulu Eidalaidd brofiad tebyg: ymweliad annisgwyl gan dylwythyn Americanaidd nad oeddynt erioed wedi ei weld cyn hynny.

Rhyddhad yn sicr fu prif brofiad Margaret yn 1945. Yr oedd wedi llwyddo i gadw ei phlant yn fyw ac yn ddianaf, ac yr oedd ei gŵr a'i brawd wedi cyrraedd yn ôl yn ddiogel. Nid arhosodd Edward Lloyd: derbyniodd wahoddiad i weithio yn Llundain. Ond fe ailgydiodd Margaret a'i gŵr yn ddiolchgar yn eu bywyd yn Livorno. Tyfodd y plant, ac o dipyn i beth fe ailadeiladwyd y ddinas. Priododd Francesca â gŵr o Genova ac fe ymsefydlodd yno. Arhosodd Guido yn Livorno. O ran galwedigaeth dilynodd ei dad, ac fe fu'n ddigon ffodus i gael swydd fel meddyg yn Ysbyty Livorno. Priododd â Barbara Nigro a chawsant ddau fab. Ar ôl marwolaeth Francesco Cricchio, ymgartrefodd Margaret hefyd gyda Guido a Barbara, ac yn eu cartref hwy y buom yn ymweld â hi ym mis Chwefror 1998. Un o'r pethau a gofiwn o hyd am yr ymweliad oedd yr hwyl a gawsom pan adroddodd Guido hanes ei daith gyda Barbara yn eu cerbyd gwersylla i archwilio gwlad ei hynafiaid yng ngogledd Cymru. Llwyddai i roi disgrifiad da o rai o'r lleoedd y bu ynddynt heb allu cofio eu henwau, a disgwyliai i ni wneud hynny bob tro. Teimlem ein bod ninnau hefyd wedi llwyddo i redeg gyrfa deg wrth gyrraedd pen y daith a'i glywed yn chwerthin a gweiddi: 'Ie, dyna chi: Llandudno!' Ni feddyliem am eiliad y byddem cyn pen blwyddyn yn derbyn newyddion trist amdano. Un noswaith ym mis Tachwedd 1998 fe aeth i'r gwely fel petai yn holliach ac yn ei hwyliau arferol. Yn y bore fe'i cafwyd yn farw. Rhuthrodd dau o'i gydfeddygon o'r ysbyty i'r tŷ, ond yr oedd yn rhy hwyr; yr oedd wedi cael trawiad ar y galon yn hollol ddirybudd yn ystod y nos.

Yn 1939 yr oedd William Lloyd, mab hynaf Llewelyn, eisoes wedi treulio deuddeng mlynedd ym Malesia, lle yr oedd yn rheolwr ar blanhigfa rwber fawr yn Sungei Pendas, nid nepell o Singapôr. Er mai yn Llundain yr oedd prif swyddfa'r cwmni y gweithiai iddo, ar y pryd nid ymddangosai fel pe byddai'r rhyfel yn Ewrop yn effeithio rhyw lawer, os o gwbl, ar ei fywyd prysur ond cysurus: os oedd arno angen rhywbeth nad oedd ar gael ym Malesia, gallai ei gael o Awstralia neu Seland Newydd. Hyd yn oed pan ymunodd Japan â'r rhyfel yn erbyn yr Unol Daleithiau a Phrydain, ni sylweddolai'r rhan fwyaf o drigolion Singapôr y perygl iddynt hwythau; yr oeddynt yn ffyddiog y byddai'r llynges Brydeinig ac awdurdodau'r ymerodraeth wedi sicrhau amddiffyniad a gadwai'r gelyn bant. Bu cyflymder ac effeitholrwydd ymosodiad y Japaneaid yn 1942 yn hunllef iddynt.

Disgwylid i ddeiliaid Prydeinig gwrywaidd Singapôr a'r cylch a oedd mewn oedran milwrol wasanaethu mewn math o warchodlu cartref. Fel aelod o'r *Johore Volunteer Engineer*s, yr oedd William Lloyd wedi bod yn mynd i Singapôr tuag unwaith yr wythnos i gymryd rhan mewn ymarferiadau; gan mai i'r peirianwyr y perthynai, dysgodd dipyn am adeiladu geudai, heolydd a phontydd. Ar ôl yr ymarferiadau, byddai ef a'i gydbeirianwyr, a sawl planhigfäwr yn eu plith, yn ciniawa gyda'i gilydd cyn mynd yn ôl i'w cartrefi; iddo ef yr oedd perthyn i'r JVE wedi ymdebygu i fod yn aelod o glwb. Ni freuddwydiodd erioed y byddid yn galw arno i fod yn aelod ymladdol o'r fyddin a oedd i amddiffyn Singapôr. Ond felly y bu. A chwta wythnos ar ôl cael ei wneud yn aelod cyflawn o'r fyddin honno, yr oedd William Lloyd yn garcharor rhyfel; gan y bernid bod cynhyrchu rwber yn waith pwysig, cafodd ei adael ar ei blanhigfa tan y funud olaf.

Roedd yn un o'r carcharorion hynny a ddioddefodd yn enbyd yng ngwersylloedd y Japaneaid. Cafodd ei anfon i Siám i weithio ar y rheilffordd arswydus honno a ddaeth yn adnabyddus drwy'r byd yn sgil llwyddiant y ffilm *Y Bont dros Afon Kwai*. Yn ôl William, yr oedd llawer iawn o wirionedd yn y portread a gawsom yn y ffilm o'r creulondeb a'r caledi a ddioddefodd y caethweision a orfodwyd i adeiladu'r rheilffordd, ond pwysleisiodd y dylem gofio hefyd na all yr un ffilm gyfleu'r drewdod cyfoglyd a'r mochyndra a oedd yn aml yn elfen bwysig yn eu huffern. Gwaith William a'i gymdeithion oedd estyn y rheilffordd dros bellter o tua 250 cilomedr rhwng Ban Phong a'r ffin rhwng Siám a Bwrma, fel y gellid cysylltu Bangkok a Rangoon. Fel yr âi'r gwaith yn ei flaen, symudid y gweithwyr o wersyll i wersyll; amrywiai'r rhain o ran safon, ac yr oedd rhai ohonynt yn amlwg yn gwbl anaddas ar gyfer y bodau dynol a oedd yn gorfod byw ynddynt. Bu William Lloyd yn ddigon lwcus i ddod drwy'r profiad hwn yn fyw; a barnu wrth yr hanes a adawodd mewn llawysgrif, gellir priodoli hynny'n bennaf iddo gael ei anfon am gyfnod yn ôl i wersyll digon pell o'r afon Kwai a'r rheilffordd a llwyddo i gael gwaith ysgafnach yno.

A'r rheilffordd wedi ei chwblhau, cafodd William ei symud i Japan, lle bu'n gweithio mewn ffatrïoedd yn Shimonoseki, Amagasaki a

Takamatsu. Yr oedd o fewn can cilomedr i Hiroshima pan ffrwydrodd y bom atomig cyntaf yno, a phan gododd drannoeth gwelodd golofn enfawr o niwl neu fwg yn cuddio rhan fawr o'r ffurfafen. Oherwydd maint y golofn, tybiai taw canlyniad i gyrch awyr llawer agosach oedd, gan fod tref ryw bymtheg cilomedr i ffwrdd yn darged tebygol. Synnodd yn fawr pan glywodd am y dinistr yn Hiroshima, ac fe aeth peth amser heibio cyn iddo gael esboniad a deall arwyddocâd y bom newydd. Yr oedd, wrth gwrs, yn anodd iawn i'r carcharorion gael newyddion, ac fe aeth deng niwrnod heibio cyn iddynt hyd yn oed gael gwybod bod Japan wedi ildio ac nad oedd rhaid iddynt mwyach weithio yn eu ffatrïoedd. Bu'n rhaid iddynt aros am wythnosau lawer eto cyn y gellid trefnu iddynt i gyd fynd adref, ond o leiaf fe gaent bellach ddigonedd o fwyd maethlon a thriniaeth feddygol. Nid oedd William yn fychan o gorffolaeth: yn 1942 yr oedd nid yn unig yn dal (1 metr 80), ond hefyd yn weddol drwm, ond fe aethai ei bwysau i lawr o 92 cilo yn y flwyddyn honno i 54 yn 1945.

William Lloyd.

Yn ystod yr wythnosau a aeth heibio tra arhosai'r carcharorion i'r awdurdodau drefnu iddynt gael mynd adref, fe sylweddolodd William Lloyd y byddai nifer o reolwyr planhigfeydd Malesia wedi methu goroesi. O'r rhai a oedd o hyd yn fyw, byddai rhai yn gorfod bod dan driniaeth feddygol am fisoedd, a byddai'r rhan fwyaf o'r gweddill yn debygol o ddychwelyd i Ewrop i weld eu teuluoedd neu am wyliau. Yn y cyfamser, a'r Japaneaid wedi ymadael, beth a ddigwyddai i'r planhigfeydd? Yr oedd ef yn teimlo ei fod yn adennill ei nerth o ddydd i ddydd. Gofynnodd i'r awdurdodau drefnu iddo gael dychwelyd i Singapôr. Yno gwelodd fod y planhigfeydd a berthynai i'r cwmni y bu ef yn gweithio iddo yn segur ac yn tyfu'n wyllt; yr oedd y Japaneaid wedi eu cadw i fynd am ychydig o amser ond yna wedi penderfynu bod ganddynt eisoes gyflenwad digonol o rwber o wledydd a oedd yn fwy cyfleus i Japan. Anfonodd William adroddiad at y cwmni yn Llundain a chafodd wahoddiad i fod yn oruchwyliwr arbennig dros dro ac i geisio adfer y saith planhigfa a berthynai i'r cwmni. Derbyniodd y cynnig. Am fisoedd bu'n chwilio am weithwyr, nid yn unig ar gyfer ei blanhigfa ei hun, ond ar gyfer y lleill yn ogystal. Daeth llawer o'r hen weithwyr yn ôl, ac fe ddaeth William o hyd i ddigon o weithwyr newydd. Dros y saith mis nesaf, dychwelodd rhai o'r hen reolwyr hefyd, ac fe benodwyd rheolwyr newydd i'r swyddi a oedd o hyd yn wag. Cyn iddynt gyrraedd, yr oedd William eisoes wedi sicrhau bod pob planhigfa wedi ei hadfer ac yn dechrau cynhyrchu. Yn 1946 fe gafodd ei wobr: wyth mis o wyliau ar gyflog llawn. Ymadawodd ar long a hwyliai i Southampton, ac fe aeth oddi yno i Lundain i roi ei adroddiad diweddaraf i'r cwmni. Bellach yr oedd yn rhydd i fynd adref i'r Eidal, ond bu'n rhaid iddo aros am wythnosau eto cyn cael pasport newydd! O'r diwedd cyrhaeddodd Firenze ar 3 Awst, 1946. Yn yr orsaf i'w groesawu yr oedd Llewelyn ei dad, Roberto ei frawd, a Luisa ei chwaer-yng-nghyfraith newydd. Yr oedd dros saith mlynedd wedi mynd heibio er pan welsai unrhyw aelod o'i deulu.

CLO

Mae darluniau gan Llewelyn Lloyd yn rhai o orielau ardderchocaf yr Eidal (yn yr *Uffizi* a'r *Pitti* yn Firenze, er enghraifft, a'r *Galleria Nazionale d'Arte Moderna* yn Rhufain), heb sôn am orielau llai enwog ar draws y byd, o Livorno hyd at Lima, Perú. Ceir *Via Llewelyn Lloyd* ymhlith strydoedd Livorno a *Viale Llewelyn Lloyd* ar Ynys Elba. Ac y mae'r *Premio Llewelyn Lloyd* yn wobr y mae cystadlu brwd amdani ymhlith artistiaid ifainc. Yn amlwg, ni fu mab William Lloyd Hendrefigillt heb anrhydedd yn yr Eidal.

Nid oes yr un enghraifft o'i baentiadau yn ein horielau a'n hamgueddfeydd ni yng Nghymru. Y mae hyn yn resyn. Yn gyntaf, am fod gwerth cynhenid yn ei ddarluniau, ac y byddai cael gweld ei waith yn ein cyfoethogi ni yn bersonol, yn ogystal â bod yn gaffaeliad gwerthfawr pan fyddwn yn astudio cyfraniadau Cymry i'r celfyddydau gweledol. Yn ail, am fod ei yrfa yn rhan o stori'r Llwydiaid yn Livorno, a'r stori honno yn rhan o hanes ein hymfudwyr, cangen bwysig o'n hanes ni fel cenedl. Ond heblaw am hynny, ymddengys i mi fod ei absenoldeb yn drueni hefyd am reswm mwy personol: am fod Llewelyn Lloyd ei hun wedi dangos fod ganddo ddiddordeb byw yn ei etifeddiaeth. Oherwydd ei ymwybyddiaeth o'r etifeddiaeth honno, gwrthododd wahoddiad i fod yn ddinesydd Eidalaidd.

Ysywaeth, ni adawodd Llewelyn ei hun dystiolaeth am y daith a wnaeth ef a'i fab William i Sir y Fflint yn 1938 i olrhain ei achau. Ni wyddom felly beth a deimlai pan welodd o'r diwedd y ffermydd a'r pentrefi lle bu ei hynafiaid yn trin y tir am genedlaethau – Hendrefigillt, Tarth-y-dŵr, Helygain, Cilcain, Rhosesmor a Llaneurgain – lleoedd y clywsai eu henwau yn hanesion difyr yr adroddwr campus hwnnw, ei ewythr Robert. Carwn feddwl ei fod, wrth syllu arnynt am y tro cyntaf, wedi teimlo rhywbeth tebyg i'r profiad a ysbrydolodd Giorgio Caproni, bardd a aned fel yntau yn Livorno, i gyfansoddi'r llinellau a gyhoeddodd dan y teitl *Nodyn a adawyd cyn peidio â mynd bant*, sef, o'u trosi'n fras:

Pe na ddychwelwn,
gwybyddwch
na fu im fyth ymadael.

Ni fu fy nheithio i gyd
ond aros
yma, lle na fûm erioed.

Livorno: Via Llewelyn Lloyd.

ACHRESI

LLWYDIAID HENDREFIGILLT

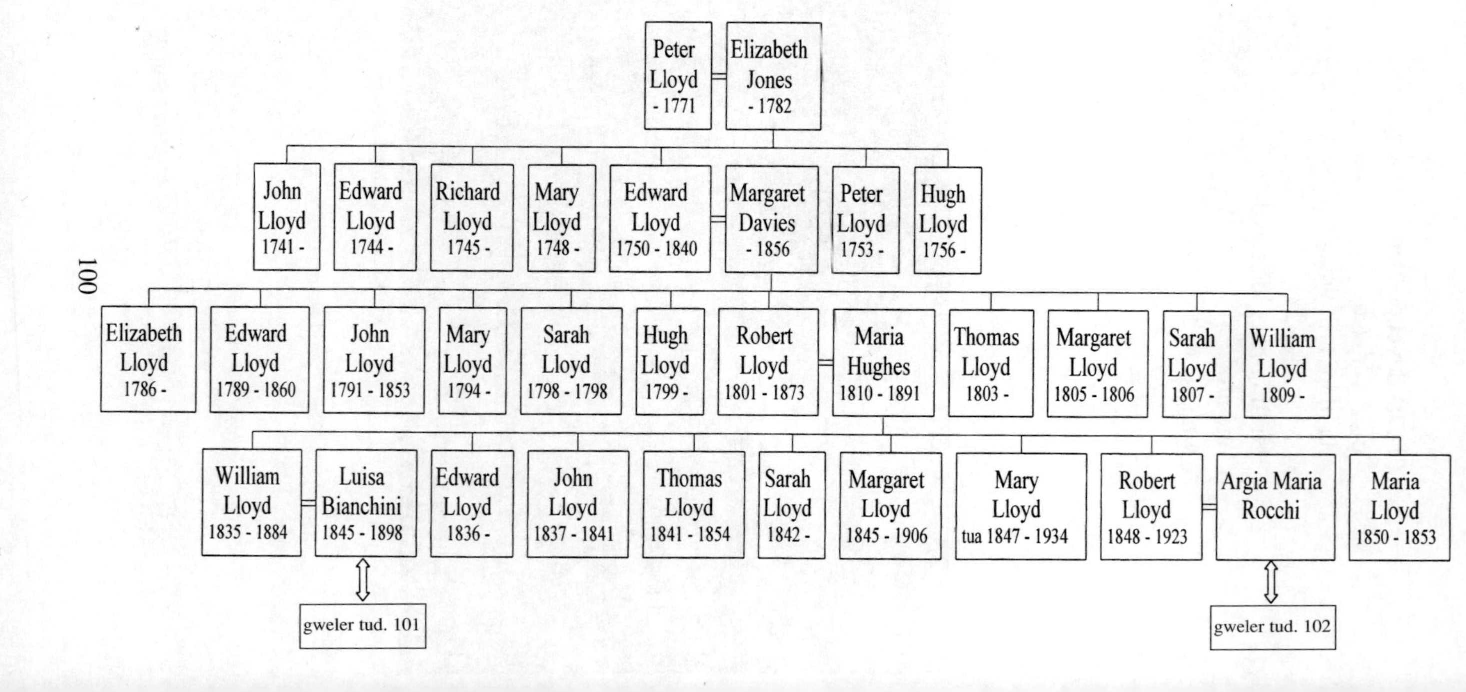

DISGYNYDDION I WILLIAM LLOYD HENDREFIGILLT (A LIVORNO)
A ENWYD YN YR HANES

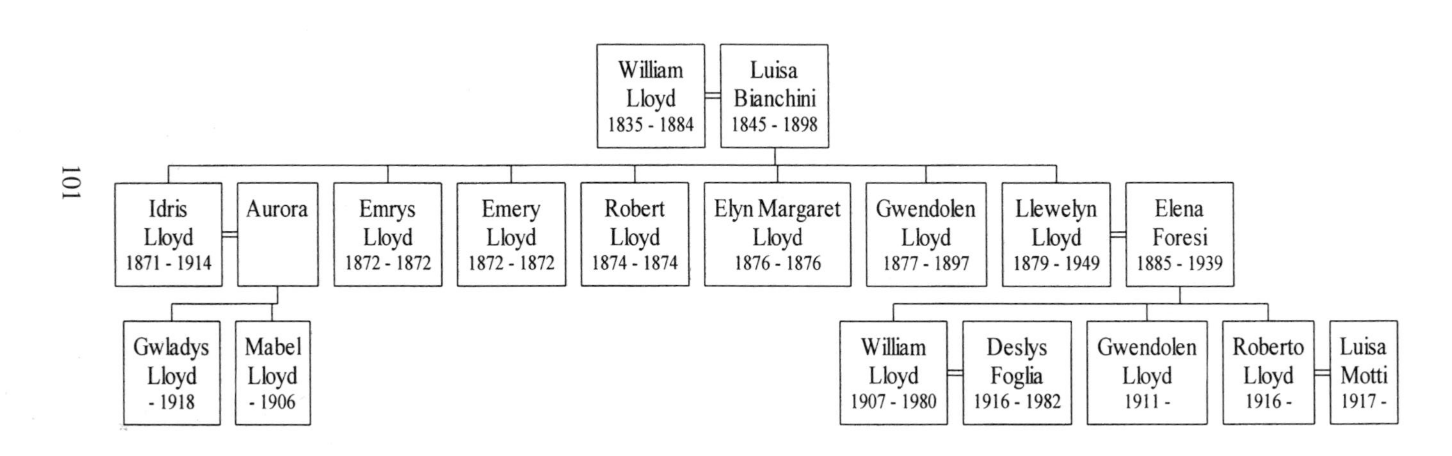

DISGYNYDDION I ROBERT LLOYD HENDREFIGILLT (A LIVORNO) A ENWYD YN YR HANES

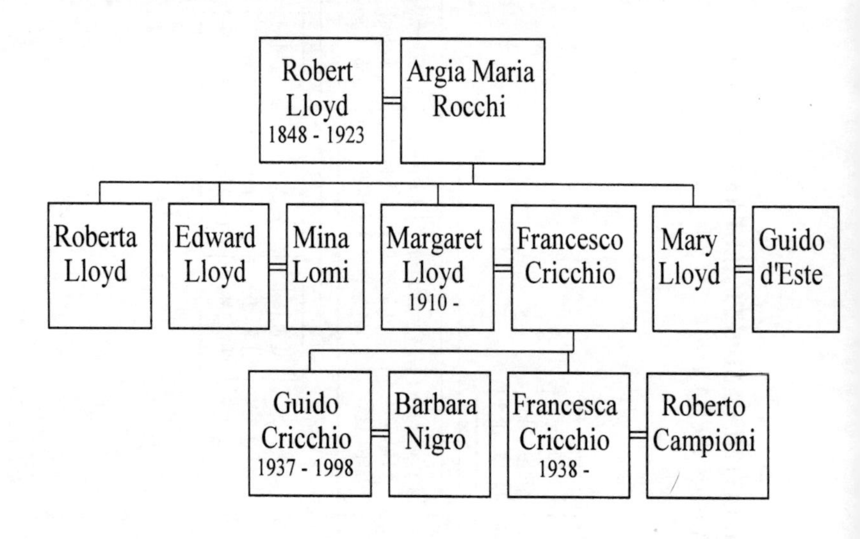

LLWYDIAID HAFOD

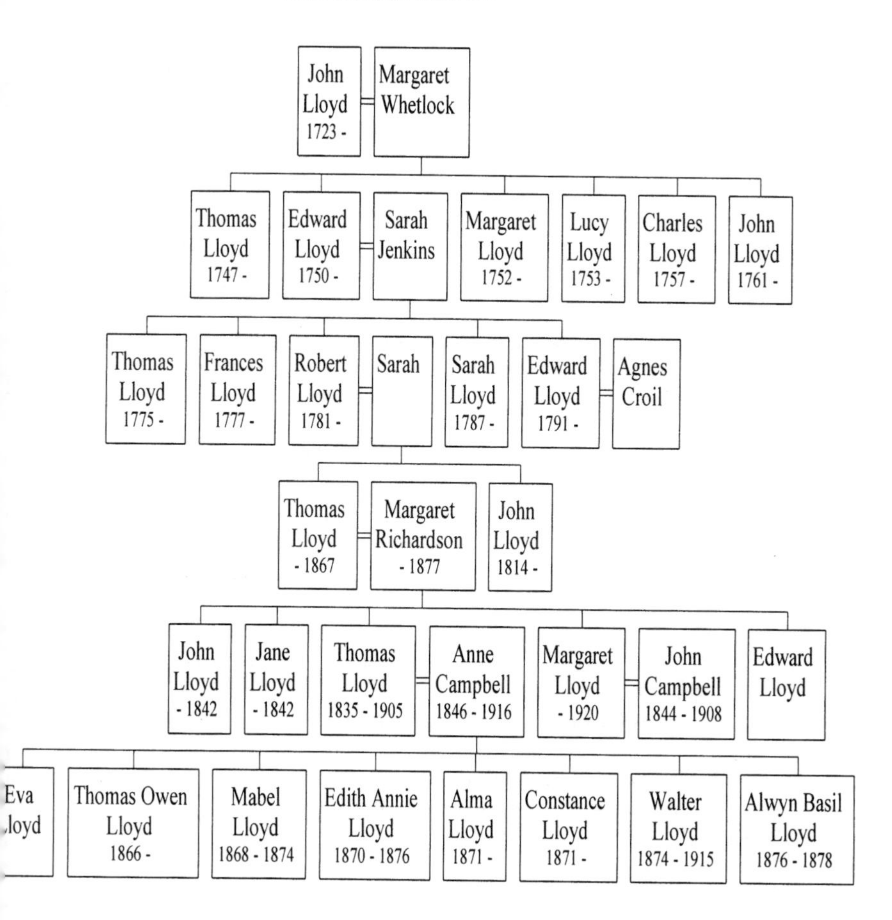

LLYFRYDDIAETH FER

ASCANI, Umberto, 'Agenti marittimi, ricevitori e raccomandatari inglesi a Livorno nell'800'. *Atti del Convegno di Studi "Gli Inglesi a Livorno e all'Isola d'Elba (sec. xvii-xix), Livorno – Portoferraio, settembre 1979"*. Livorno: Bastogi, 1980, tt. 56-7.

BORGHESAN, Lucia, 'I Lloyd di Livorno', *CN. Le Vie del Comune*, 6, Ebrill-Mehefin, 1993, tt. 47-54.

CARMICHAEL, Montgomery, *In Tuscany. Tuscan Towns, Tuscan Types and the Tuscan Tongue*. Llundain: John Murray, 1901.

DAVIES, John, *Hanes Cymru*. Llundain: Penguin, 1992.

DONZELLI, Ferdinando, *Llewelyn Lloyd 1879-1949*. Legnano: Edicart, 1995.

ELLIS, Bryn, *The History of Halkyn Mountain*. Helygain: Helygain, 1998.

DURBE, Dario, *The Macchiaioli: Masters of Realism in Tuscany*. Rhufain: De Luca, 1982.

HAYWARD, Horace Albert, 'Some considerations on the British cemeteries in Livorno'. *Atti del Convegno di Studi "Gli Inglesi a Livorno e all'Isola d'Elba (sec.xvii-xix), Livorno – Portoferraio, settembre 1979"*. Livorno: Bastogi, 1980, tt. 23-30.

INNOCENTI, Piero, *Il porto di Livorno*. Milano: Giuffrè, 1968.

LLOYD, Llewelyn, *Tempi andati*. Firenze: Vallecchi, 1951.

LLOYD, William, *Della famiglia* (nodiadau anghyhoeddedig).

LLOYD, William, *La mia guerra* (llyfr anghyhoeddedig).

MASCHERPA, G., 'Perché fu importante la rivoluzione divisionista', *Arte*, Milano, Mai 1990, tt. 92-8.

MONTI, R. *Le mutazioni della "macchia"*. Rhufain, 1985.

MONTI, Raffaele a MATTEUCCI, Giuliano, *I postmacchiaioli*. Rhufain: De Luca, 1993.

OWEN, Hywel Wyn, *Place-names of Dee and Alun*. Llanrwst: Carreg Gwalch, 1996.

PAGANO DE DIVITIIS, Gigliola, 'Il porto di Livorno fra Inghilterra e Oriente', *Nuovi Studi Livornesi,* I (1993), tt. 43-87.

PARRONCHI, Antonio, *Coloristi toscani fra Ottocento e Novecento,* Firenze, 1992.

QUINSAC, A.-P., *La peinture divisioniste italienne 1880-1895*. Paris, 1972.

ROBERTS, Lewes, *The Marchants mapp of Commerce*, (1638). Amsterdam: Theatrum Orbis Terrarum a Norwood N. J.: W. J. Johnson, 1974.

SCROSOPPI, P., 'Il porto di Livorno e gl'inizi dell'attività inglese nel Mediterraneo', *Bollettino Storico Livornese*, I (1937), tt. 339-80.

WHELLENS, Arthur, 'Llewelyn Lloyd, "pittore labronico" e i Lloyds di Livorno', *CN. Le Vie del Comune*, 16, Ion.-Mawrth, 1996, tt. 29-40.

WINSPEARE, Maddalena Paola, 'Gli inizi divisionisti di Llewelyn Lloyd', *Critica d'arte,* Hydref-Rhagfyr 1990, tt. 62-67.

Y gastanwydden farw (1908)
Olew ar gynfas, diamedr 100 cm
I Postmacchiaioli, 130
Roma, Galleria Nazionale d'Arte Moderna.
Trwy ganiatâd y Ministero per i Beni e le Attività Culturali

Bore yng Nghwm Pesa (1909)
Olew ar gynfas 50 x 65 cm
Donzelli 266

Cwch gadawedig (1911)
Olew ar banel 18.5 x 29 cm
Donzelli 271

Eglwys fach Bagno ar Ynys Elba
Olew ar gynfas 51.6 x 65.5 cm
Parronchi 137

Hunanbortread yn y stiwdio (1916)
Olew ar gynfas 52 x 43 cm
Donzelli 278

Llongddrylliad (1919)
Olew ar banel 34 x 48 cm
Parronchi 142

Cymdogaeth Via Garibaldi (1920)
Olew ar basbord 34 x 21 cm
Donzelli 286

Portread o Lorenza (1921)
Olew ar basbord 46 x 31.5 cm
Donzelli 290

Seibiant (1922)
Olew ar gynfas 68 x 76 cm
Parronchi 143

Afalau a grawnwin (1923)
Olew ar gynfas
32.4 x 31.5 cm
Parronchi 144

Marciana Marina (1925)
Olew ar banel 26.5 x 36 cm
Donzelli 300

Tir pori yn Klerant (1929)
Olew ar banel 26 x 35 cm
Parronchi 149

Bae Procchio (1930)
Olew ar banel 40.5 x 54 cm
Donzelli 316

Yr asyn ar y llawr dyrnu (1930)
Olew ar basbord 38 x 52 cm
Donzelli 317

Ysgraff ym Marciana (1930)
Olew ar basbord 17 x 23 cm
Parronchi 151

Y llwyfen heb ddail (1931)
Olew ar banel 35.5 x 27 cm
Donzelli 323

Gwendolen yn darllen mewn siôl goch (1931)
Olew ar banel 52 x 38 cm
Donzelli 325

Brig yr hwyr yn y Maremma (1931)
Olew ar banel 35 x 54.5 cm
Donzelli 326

Rhosynnau gwynion (1934)
Olew ar banel 36 x 27 cm
Parronchi 154

Cwch wrth ei angor (1935)
Olew ar basbord 24.5 x 15 cm
Parronchi 153

Piazza della Signoria (1937)
Olew ar banel 44 x 36 cm
Donzelli 347

Yr Ych
Olew ar gynfas 85 x 110 cm
Ffoto: Galleria Parronchi, Firenze

Ar lan y môr yn agos i Pisa
Olew ar banel 32 x 92 cm
Ffoto: Galleria Parronchi, Firenze